5ᵉ Cahier de français

Grammaire – Orthographe – Conjugaison
Vocabulaire – Expression

Sous la direction
d'**Annie Lomné**

Adrien Daoudal
Professeur agrégé de lettres classiques (92)

Marianne Fessler
Professeur certifiée de lettres classiques (92)

Hélène Lacroix-Blondel
Professeur agrégée de lettres classiques (92)

Éric Levasseur
Professeur certifié de lettres modernes (92)

Annie Lomné
Professeur certifiée de lettres classiques (92)

Nom ....

Prénom ....

Classe ....

Hatier

Sommaire

© Hatier, Paris, avril 2016 – ISBN : 978-2-218-98939-1 –

1 Les noms et les adjectifs qualificatifs

J'observe

Connais-tu Gepetto, le **menuisier** inventif?

Entoure le nom qui commence par une majuscule. C'est un nom ....

Souligne le nom qui est précédé par un déterminant. C'est un nom ....

Quel mot précise le nom en gras ? .... **C'est un** .... **qualificatif.**

Je retiens

 A **QU'EST-CE QU'UN NOM ?**

- Un **nom commun** désigne des êtres vivants, des objets, des idées…

- Il a un **genre** et **varie en nombre**. *une fleur, des fleurs, un homme, des hommes*

- Il est en général précédé d'un **déterminant** et constitue un **groupe nominal (GN)**.

- Un **nom propre** commence par une **majuscule** et désigne un **pays**, une **personne uniques**. *la France, Charles Perrault*

 B **QU'EST-CE QU'UN ADJECTIF QUALIFICATIF ?**

- L'adjectif qualificatif apporte des **précisions** sur un nom ou un pronom. Il renseigne sur l'apparence, la couleur, les qualités… *un pantalon bleu*

- Les **participes** passé et présent d'un verbe **s'utilisent** souvent **comme adjectifs**. *Ce jeu est amusant. Il est fatigué.*

 C **COMMENT ACCORDE-T-ON LES NOMS ET LES ADJECTIFS ?**

- **Au féminin :** on ajoute la **lettre e** sauf si elle est déjà présente.

⚠ Certains noms et adjectifs doublent la consonne finale au féminin ou changent de terminaison.

cruel ➡ *cruelle, ancien* ➡ *ancienne, doux* ➡ *douce, heureux* ➡ *heureuse, public* ➡ *publique*

- **Au pluriel :** on ajoute la **lettre s**, sauf si le singulier se termine en *s*, *x* ou *z*.

- Les noms et adjectifs en **-eu**, **-au**, **-eau** ont un pluriel en **-x**, ceux en **-al** ont un pluriel en **-aux**.

beau ➡ *beaux, féodal* ➡ *féodaux, un jeu* ➡ *des jeux, un cheval* ➡ *des chevaux*

- **Exceptions :**

– adjectifs : *banal, bancal, fatal, natal, naval, glacial, final* ;

– noms : *bal, carnaval, festival, chacal, récital, régal, landau, bleu, pneu.*

Je m'entraîne

1 Souligne les noms et précise leur catégorie (nom commun ou nom propre), leur genre et leur nombre.

   1. Laura attend longtemps avant de partir. ....

   2. Ce bois est très résistant. ....

   3. Elle a encore des pétales. ....

2 Souligne les noms.

   ■ **1.** une coupe / tu coupes • il se réveille / mon réveil • l'accueil / je l'accueille

   ■ **2.** nous savons / les savons • le cours / je cours • tu souris / la souris

   ■ **3.** un absent / être absent • l'idiot / être idiot • des pauvres / être pauvre

> Pour trouver un nom, n'oublie pas qu'il est **précédé** par un déterminant.

3 Souligne les adjectifs, puis indique les noms auxquels ils se rapportent.

   ■ **1.** Pinocchio est un petit pantin en bois. ....

   ■ **2.** Cette histoire qu'on m'a racontée est inimaginable. ....

   ■ **3.** La baleine est un monstre très impressionnant, mais elle est aussi un être sensible.

   ....

4 Complète les phrases par un adjectif de ton choix.

   ■ **1.** Le plus jeune n'était pas plus .... que le pouce, ce qui fit qu'on l'appela le .... Poucet.

   ■ **2.** Un bûcheron et une bûcheronne étaient fort ....

   ■ **3.** L'ogre prit un couteau .... de sa main .... et se chauffa près d'un .... feu. Il sentit soudain la chair ....

JE CONSOLIDE mon orthographe

5 Mets ces adjectifs au pluriel.

   ■ **1.** gentil : .... • normal : .... • beau : ....

   ■ **2.** glacial : .... • national : .... • important : ....

   ■ **3.** fatal : .... • heureux : .... • mou : ....

6 Accorde les adjectifs entre parenthèses.

   ■ **1.** des bilans (annuel) : .... • des qualités (visuel) : ....

   ■ **2.** des combats (naval) : .... • elle est (inquiet) : ....

   ■ **3.** des questions (naïf) : .... • un (nouveau) appareil : ....

   ■ **4.** des événements (local) : .... • une lionne (agressif) : ....

   ■ **5.** des pluies (destructeur) : .... • une scène (muet) : ....

   ■ **6.** une (bref) pause : .... • de (vieux) amis : ....

7 Écris ces noms au singulier.

   ■ **1.** des balais : .... • des relais : ....

   ■ **2.** des croix : .... • des voix : ....

   ■ **3.** des champs : .... • des camps : ....

   ■ **4.** des arômes : .... • des icônes : ....

8 Mets ces groupes nominaux au pluriel.

   ■ **1.** un œil attentif : des .... • un ciel nuageux : des ....

   ■ **2.** un rail léger : des .... • un verrou original : des ....

   ■ **3.** un corail rouge : des .... • un bijou banal : des ....

> L'ensemble déterminant + nom (+ adjectif) est un groupe nominal (GN).

Coche la couleur que tu as le mieux réussie.

□ Relève de nouveaux défis ! ⟶ **exercices 1, 2 p. 12**

■ Améliore tes performances ! ⟶ **exercice 3 p. 12**

■ Prouve que tu es un champion ! ⟶ **exercice 4 p. 12**

Chacun son rythme

5

2 Les déterminants articles

J'observe

Il était une **fois** une **maman** qui racontait des **histoires**.

Souligne les mots qui précèdent les noms en gras. Ce sont des .... **.**

Je retiens

A QU'EST-CE QU'UN DÉTERMINANT ?

- Le déterminant se place devant un **nom**, avec lequel il s'accorde en **genre** et en **nombre**. *le roi, un chat*
- Un **adjectif** se trouve parfois **entre le déterminant et le nom**. *un **petit** garçon*
- Il existe **plusieurs catégories** de déterminants. Les plus courants sont les **articles**.

B QUELS SONT LES DIFFÉRENTS ARTICLES ?

		Définitions	Exemples
Articles indéfinis	un, une, des	Déterminent un **nom imprécis** ou **inconnu**.	*C'est **un** chat.*
Articles définis	le, la, les, l' (devant un mot qui commence par une voyelle ou un h muet)	Déterminent un **nom précis** ou **déjà connu**.	*Le chat de Julie.*
Articles définis contractés	au (à + le), aux (à + les), du (de + le), des (de + les)	**Contraction** d'une préposition et d'un article.	*Je sors **du** collège.*
Articles partitifs	du, de la, de l'	Désignent une **quantité indéfinie** (= *un peu de*).	*Je bois **du** lait.*

Je m'entraîne

1 Souligne les articles et indique s'ils sont définis ou indéfinis.

1. Sur le chemin, il y avait des abeilles et un cheval. ....

2. Des roses embaument le salon et la cuisine. ....

3. L'arc-en-ciel apparut, tous les enfants l'admirèrent et poussèrent un cri. ....

2 Indique si *des* est un article indéfini ou un article défini contracté.

1. Ils ont cueilli des pommes. ....

2 C'est déjà la rentrée des classes. ....

3. Passe-moi des feuilles, je te les rendrai à la fin des cours. ....

Pour trouver facilement, mets la phrase au singulier.

6

3 Indique si *du* est un article défini contracté ou un article partitif.

■ **1.** Tout le monde a compris, à l'exception du cochon. ....

■ **2.** Il était occupé à manger du riz. ....

■ **3.** Les animaux répondirent à l'appel du petit Dieu. ....

L'article partitif peut être **remplacé** par *un peu de*.

4 Indique la classe grammaticale (article partitif, article indéfini ou article défini contracté) de chaque article en gras.

■ **1. des** pommes : ....

■ **2. de la** soupe : ....

■ **3.** la rentrée **des** classes : ....

■ **4. des** amis : ....

■ **5.** la fin **du** film : ....

■ **6. du** courage : ....

5 Mets ces phrases à la forme négative.

■ **1.** J'ai des doutes à ce sujet. → ....

■ **2.** Nous avons apporté des gâteaux. → ....

■ **3.** J'ai bu de l'eau. → ....

■ **4.** Achète du pain en rentrant. → ....

Attention, les articles vont changer !

6 Souligne les articles et indique leur classe grammaticale.

■ **1.** Les bords du fleuve sont verdoyants. ....

■ **2.** Les petits cochons ne mangent pas d'étoiles. ....

■ **3.** Mettez donc de la vanille dans ce gâteau ! ....

7 🗨 **J'APPLIQUE** POUR lire

a) Relève et classe dans le tableau les déterminants des noms en gras.

Le petit **Dieu** prit une **feuille** de papier, des **crayons** de couleur, et il se mit à faire le monde.

Au **commencement**, il créa le ciel et la **terre**. Mais le ciel était vide, la terre aussi, et tous les deux baignaient dans l'**obscurité**.

Pierre Gripari, « Le Petit Cochon futé », in *Contes de la rue Broca*, © Éditions de La Table Ronde (1967).

Articles définis	Articles indéfinis	Articles partitifs	Articles définis contractés
....	....	....	....

b) Quelle catégorie d'article n'est pas représentée ?

....

8 🗨 **J'APPLIQUE** POUR écrire

Si toi aussi tu pouvais créer un monde, comment serait-il ?

Consigne
• 5 lignes
• 6 articles

Coche la couleur que tu as le mieux réussie.

☐ Relève de nouveaux défis ! ⟶ exercices 5, 6 p. 12 et 7 p. 13

■ Améliore tes performances ! ⟶ exercice 8 p. 13

■ Prouve que tu es un champion ! ⟶ exercices 9 et 10 p. 13

Chacun son rythme

3 Les autres déterminants

J'observe

Ma **sœur** m'a raconté deux **histoires**.

Relève les mots placés devant les noms en gras ....

Ce sont des ....

Je retiens

A QUELS SONT LES AUTRES DÉTERMINANTS ?

Déterminants possessifs	Indiquent le **possesseur** du nom.	Au singulier	ma, ta, sa, mon, ton, son, notre, votre, leur
		Au pluriel	mes, tes, ses, nos, vos, leurs
Déterminants démonstratifs	Montrent ou rappellent un **nom** dont on a **déjà parlé**.	Simples	ce, cet, cette, ces
		Composés	ce ...-ci, ce ...-là, cette ...-ci...
Déterminants exclamatifs	Permettent d'exprimer un **sentiment** dans une phrase exclamative.	Au singulier	quel, quelle
		Au pluriel	quels, quelles
Déterminants interrogatifs	Permettent de poser une **question**.	Au singulier	quel, quelle
		Au pluriel	quels, quelles
Déterminants numéraux	Désignent une **quantité**.	Cardinaux	un, deux, trois...
	Expriment le **rang** dans une série.	Ordinaux	premier, deuxième...

B COMMENT ACCORDE-T-ON LES DÉTERMINANTS NUMÉRAUX ?

- Les déterminants **numéraux cardinaux** (= les nombres) sont **invariables**. *trois* stylos, *douze* élèves
- Il faut placer un **trait d'union** entre les dizaines et les unités, sauf s'il n'y a qu'une unité. *soixante-treize*
- **Vingt** et **cent** prennent un **-s** quand ils sont multipliés, sauf s'ils sont suivis d'un autre nombre.
  *mille deux **cents** kilomètres, cent quatre-**vingt**-trois jours*
- **Mille** est **invariable**.
- Les déterminants **ordinaux** s'accordent en genre et en nombre. *la première partie, les deuxièmes tours*

Je m'entraîne

1 Remplace ces GN par d'autres GN contenant un déterminant possessif.

1. le voyage que vous avez fait : .... • le gâteau que tu as préparé : ....

2. les amies de ma sœur : .... • le problème que j'ai rencontré : ....

3. la boisson qu'ils aiment : .... • l'idée que toi et moi avons eue : ....

2 Utilise le déterminant possessif ou démonstratif qui convient.

   1. .... fois, on fut content de lui, car il travaillait de tout .... cœur.

   2. Qu'il faisait bon vivre .... soir .... !

   3. As-tu oublié .... bagages ?

   4. Je suis à .... disposition, monsieur.

   5. Ils annoncent .... arrivée prochaine.

3 Complète avec le déterminant démonstratif *ces* ou le déterminant possessif *ses*.

   1. J'emmène mon frère et .... amis au cinéma.

   2. .... montagnes sont magnifiques.

   3. Elle a sali .... chaussures sur .... chemins boueux.

   4. À qui appartiennent .... habits ?

   5. Le professeur dit à .... élèves que .... prochaines semaines sont importantes.

4 Précise les déterminants démonstratifs par *-ci* ou *-là*.

   1. À cette époque .... , ma grand-mère était jeune.

   2. Prends plutôt ce livre ....

   3. Dans ces régions .... , l'hiver dure très longtemps.

   4. Ces jours .... , il a fait très chaud.

> Attention :
> *-ci* s'utilise pour ce qui est **proche** et *-là* pour ce qui est **éloigné**.

5 Complète les phrases avec le déterminant exclamatif ou interrogatif qui convient.

   1. .... belle journée !

   2. De .... animal est-il question ?

   3. À .... héroïnes penses-tu ?

   • .... courage !

   • .... exploits !

   • Sur .... indices t'appuies-tu ?

JE CONSOLIDE mon orthographe

6 Écris en toutes lettres les déterminants numéraux suivants.

1. **97** centimes	7. Le **19ᵉ** siècle ....
2. **250** voitures	8. **3 000 000** de disques ....
3. Les **101** dalmatiens	9. *Les **1 001** Nuits* ....
4. **62** étages	10. **200** euros ....
5. deux **0** après la virgule	11. **2 680** points ....
6. Les **40ᵉ** journées	12. **71 593** personnes ....

Coche la couleur que tu as le mieux réussie.

□ Relève de nouveaux défis ! ⟶ **exercices 5 à 7 p. 12-13**

▨ Améliore tes performances ! ⟶ **exercice 8 p. 13**

▪ Prouve que tu es un champion ! ⟶ **exercices 9, 10 p. 13**

Chacun son rythme

4 Les pronoms

J'observe

Le maître du logis dit à Sindbad de s'approcher. Il l'invita à s'asseoir près de lui.

D'après *Les Mille et Une Nuits.*

Quel mot *l'* remplace-t-il ? ....

Quel groupe de mots *il* et *lui* remplacent-ils ? ....

Je retiens

 A QU'EST-CE QU'UN PRONOM ?

• Les pronoms remplacent un nom, un GN, un adjectif, un verbe ou une phrase afin d'**éviter une répétition**.

• Ils **s'accordent** en genre et en nombre **avec le nom ou le GN** qu'ils remplacent.

 B LES DIFFÉRENTS PRONOMS

		Caractéristiques	Exemples
Pronoms personnels	**Sujets** : je, tu, il(s), elle(s), on, nous **Compléments** : moi, m', me, te, toi, t', lui, leur, eux, se, en, y…	Marquent la **personne** avant les verbes conjugués et/ou remplacent un nom, un GN ou une phrase.	*Il l'invita chez lui.*
Pronoms possessifs	le mien, la tienne, les siennes, le nôtre, la vôtre, les leurs…	S'accordent en genre et en nombre avec le nom qu'ils remplacent et en personne avec le « **possesseur** » de ce nom.	*Une maison : la nôtre.*
Pronoms démonstratifs	celui(-ci ou -là), ceux(-ci ou -là), celle(s)-là, ce, c', ceci, cela, ça	Remplacent un **GN** ou une **partie de phrase** dont on vient de parler.	*Celui-ci se présenta.*
Pronoms interrogatifs	qui, que, quoi, lequel, laquelle, lesquel(le)s, auquel, duquel…	Posent une **question** directement ou indirectement.	*Qui es-tu ? Je sais qui tu es.*

Je m'entraîne

1 **Remplace les termes soulignés par le pronom demandé.**

 1. **PERSONNEL** Ma sœur est partie en Angleterre, j'irai .... rejoindre bientôt.

 2. **POSSESSIF** Elle m'a prêté son stylo, j'avais oublié ....

 3. **DÉMONSTRATIF** Mes amis sont tous venus : .... m'a fait plaisir.

2 Complète par *ce / se / ceux*.

■ **1.** On doit .... retrouver sur le bateau pour .... préparer pour .... soir.

■ **2.** .... qui partiront en retard .... perdront dans .... brouillard.

■ **3.** .... qui prêtent .... serment .... retrouveront à bord pour .... long périple.

> *Ceux* est un pluriel et *se* est **toujours devant un verbe** (autre que *être*).

3 Indique la classe grammaticale de chaque *leur*.

> *Leur* **déterminant possessif** est toujours **devant un nom**, le pronom possessif est toujours **précédé de** *le*

■ **1.** Notre voyage est fini, le leur commence. ....

■ **2.** Leur fardeau est lourd, prête-leur main forte. ....

■ **3.** Donne-leur leur récompense pour leur exploit. ....
....

4 Classe les pronoms en gras dans la bonne colonne.

■ **1.** Prête-**lui** ton couteau, **il** a oublié **le sien**.

■ **2.** Les marins **se** rassemblent : **ils** attendent leur capitaine. **Celui-ci** arrive.

■ **3.** Raconte-**moi ce** que **tu** as vu : **c'**est intéressant. Quels pays as-**tu** visités ? **Lesquels** as-**tu** préférés ?

Personnels	Possessifs	Démonstratifs	Interrogatifs
....	....	....	....
....	....	....	....

5 **J'APPLIQUE** pour lire

Cela fait, Sindbad alla au palais pour prendre congé du roi Mihrajân et le remercier pour toutes ses générosités et sa protection. Il lui donna congé en lui disant des paroles fort touchantes, et ne le laissa partir qu'après lui avoir encore offert des présents somptueux. Celui-ci prit également soin d'emporter avec lui des parfums, produits de cette île.

D'après *Les Mille et Une Nuits*.

a) **Souligne tous les pronoms rappelant Sindbad et encadre ceux qui rappellent le roi.**

b) **Lequel est un pronom démonstratif ?**
....

c) **À quelle classe les autres pronoms appartiennent-ils ?**
....

6 **J'APPLIQUE** pour écrire

Imagine ce que tu aimerais recevoir comme récompense, si tu avais rendu un grand service à quelqu'un.

Consigne
• 10 lignes
• 6 pronoms d'au moins 2 catégories différentes

Coche la couleur que tu as le mieux réussie.

□ Relève de nouveaux défis ! ——► exercices 11, 12 p. 13
■ Améliore tes performances ! ——► exercice 13 p. 13
■ Prouve que tu es un champion ! ——► exercices 14, 15 p. 13

Chacun son rythme

Chacun son rythme

Les noms et les adjectifs qualificatifs

1. Range-mots Classe les mots dans le tableau puis souligne ceux qui sont obligatoirement au féminin.

rapide • glaciale • visible • planète • rare • artère • publique • étudiée • image • vieille • musée

Noms	Adjectifs
planète ; artère ; image ; musée	rapide ; glacial ; visible ; rare ; publique ; étudiée ; vieille

2. Quiz Coche les phrases vraies.

1. Les noms communs et les adjectifs ont toujours un pluriel en s. ☐

2. Tous les noms peuvent se mettre au féminin. ☐

3. L'adjectif qualificatif s'accorde en genre et en nombre avec le nom qu'il qualifie. ☐

4. Au féminin, l'adjectif se termine toujours par un e. ☐

3. Pyramide Complète cette pyramide à l'aide des définitions. Puis mets les mots trouvés au pluriel.

1. Réunion consacrée à la danse. Pluriel : ....

2. Matériau qui enveloppe une roue de voiture. Pluriel : ....

3. Mets délicieux. Pluriel : ....

4. Plante des forêts tropicales. Pluriel : ....

5. Entrée principale d'un édifice, souvent à caractère monumental. Pluriel : ....

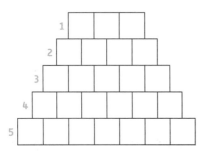

4. Lettres mêlées Remets les lettres dans l'ordre pour retrouver les adjectifs au masculin singulier qui te permettront de compléter les phrases. N'oublie pas d'accorder les adjectifs !

laiecf • unoaveu • xéldiuice • relég • olpsue • trev • nif

1. Nous avons dégusté de .... moules dans un restaurant du port.

2. Ces moules .... rendent le démoulage ....

3. Notre .... bateau est équipé de voiles .... qui se voient de loin.

4. Ce tissu est un voile .... et ....

Les déterminants

5. QCM Coche les bonnes réponses.

1. Ce sont **des** légumes frais. ☐ article défini contracté
☐ article indéfini

2. Je viens d'arriver **du** marché. ☐ article défini contracté
☐ article partitif

3. Tu as le droit à une **deuxième** chance. ☐ déterminant cardinal
☐ déterminant ordinal

6. Range-mots Classe ces déterminants dans le tableau.

cinq • cette • du • quelles • de la • une • les • son • au • ces • mes • des • leur • quel • leurs • quatrième • votre • de l'

Article défini	les ;
Article indéfini	
Article défini contracté	
Article partitif	
Déterminant possessif	Son ; mes ; ces ; leurs ; votre
Déterminant démonstratif	
Déterminant interrogatif	
Déterminant numéral	

7. Vrai ou faux **Souligne la bonne réponse.**

1. Ces / Ses légendes me rappellent le petit Diable et ces / ses aventures.

2. Il a perdu ces / ses stylos-plumes et il a acheté ces / ses stylos-là.

3. Ces / ses camions roulent trop vite sur ces / ses chaussées étroites.

8. Mots croisés **Dans cette grille, trouve les déterminants correspondant aux définitions.**

Horizontal :

1. Article démonstratif pluriel.

3. Déterminant démonstratif féminin, 2e personne, singulier.

5. Déterminant possessif, 3e personne, pluriel.

Vertical :

A. Déterminant démonstratif, masculin singulier.

C. Déterminant possessif féminin, 3e personne, singulier./ Article partitif **E.** Déterminant exclamatif, masculin pluriel.

	A	B	C	D	E
1					
2					
3					
4					
5					

9. Charade

Mon premier est une unité de vitesse utilisée par les marins. Je croque **ma deuxième** à pleines dents.

Mon troisième est la douzième lettre de l'alphabet.

Mon tout est un déterminant ordinal.

....

10. Méli-mélo **Retrouve au moins huit déterminants dans la grille : tu dois lire dans toutes les directions et une même lettre peut être utilisée deux fois. Ne compte pas l'!**

X	U	A	D	U
I	A	E	N	T
D	S	E	D	S
S	L	E	U	Q
N	O	S	E	C

Les pronoms

11. Chasse à l'intrus **Barre les mots qui ne peuvent pas être des pronoms.**

des • elle • du • eux • long • finir • soleil • les • quel • la • pourquoi • le nôtre • nos • nous • sa • les siens • ce • ces • ceux

12. Quiz **Coche les phrases vraies.**

Leur :

☐ est un pronom personnel.

☐ est un déterminant possessif.

☐ est un pronom possessif.

☐ s'accorde toujours en nombre.

13. Range-mots **Classe ces mots.**

leur • ce • lequel • le • l' • la • le leur • leur • leurs • ceux • des • cet • votre • le vôtre • ils • ces • se • auquel • vous • cela • le mien • qui

Pronoms personnels	....
Pronoms possessifs	....
Pronoms démonstratifs	....
Pronoms interrogatifs	....
Déterminants	....

14. Méli-mélo **Trouve au moins sept pronoms différents dans cette grille. Tu peux lire dans tous les sens et utiliser une même lettre plusieurs fois. Ne compte pas l'!**

I	U	L	E	C	N
Q	E	U	M	E	O
S	U	I	O	U	X
M	S	O	I	X	U
E	E	T	I	Y	E
L	E	U	Q	E	L

15. Devinette **Qui suis-je ?**

Je suis un pronom personnel qui est aussi une note de musique ou un article défini. Indique mon pluriel.

....

5 Le groupe nominal

J'observe

Les raiponces sont de belles fleurs.

Quels mots composent le premier groupe souligné ? ....

Quels mots composent le deuxième groupe ? ....

Ces groupes sont des .... **. Le mot principal est un** .... **.**

Je retiens

 A   QU'EST-CE QU'UN GROUPE NOMINAL ?

- Un **groupe nominal** (GN) est un groupe de mots dont le **noyau** est un **nom**.
  des enfants, une belle journée, le pot de miel

 B   QU'EST-CE QU'UN GROUPE NOMINAL MINIMAL ?

- Un groupe nominal **minimal** comporte un **déterminant** + un **nom**.
  un oiseau, mon ami, ce livre

 C   QU'EST-CE QU'UN GROUPE NOMINAL ÉTENDU ?

- Un groupe nominal étendu comporte un **déterminant** + un **nom** + une ou plusieurs **expansions du nom**.
  un trèfle à quatre feuilles, le repas de famille, cette jolie route de campagne
- L'expansion du nom peut être :
- un **adjectif épithète** : *un livre ancien* (▶ fiche 6) ;
- un **complément du nom** : *le violon de ma sœur* (▶ fiche 6) ;
- une **proposition relative** : *l'homme qui rit* (▶ fiche 7).

Je m'entraîne

1 Dans chaque groupe nominal, souligne le nom noyau.

   1. son vœu le plus cher • un magnifique jardin • ma chère femme

   2. une sorcière douée d'un grand pouvoir • un parterre planté de superbes raiponces

   3. ce couple qui a désiré depuis longtemps un enfant • la tour qui se dressait au loin

2 Souligne le nom noyau de chaque GN et entoure son déterminant.

   1. Il escalada le mur.

   2. Quelle grande audace de t'introduire ici !

   3. Donne-moi l'enfant qu'elle va mettre au monde.

3 Souligne les GN étendus.

☐ **1.** Il avait entendu une petite voix qu'il lui sembla connaître.

☐ **2.** Le prince désormais aveugle qui se nourrissait de fruits sauvages
et de racines, pleurant et se lamentant sans cesse sur la perte de sa femme bien-aimée, erra.

☐ **3.** Il ramena Raiponce dans son royaume, où ils furent accueillis avec des transports de joie
et vécurent heureux désormais pendant longtemps.

4 Mets entre crochets les GN étendus, souligne le noyau et mets une barre entre les expansions.

☐ **1.** Raiponce était la fillette la plus belle qui fut sous le soleil .

☐ **2.** Raiponce avait de longs et merveilleux cheveux qu'on eût dits de fils d'or .

☐ **3.** Le fils de roi déchiré de douleur et affolé de désespoir erra avec tristesse.

5 Enrichis les GN minimaux du nombre d'expansions demandé.

☐ **1.** `1 EXPANSION` le chemin : _____

☐ **2.** `2 EXPANSIONS` un conte : _____

☐ **3.** `3 EXPANSIONS` l'ordinateur : _____

6 Remplace les expansions en gras
par des adjectifs.

☐ **1.** Le bulletin **du trimestre** _____

☐ **2.** la cantine **de l'école** : _____

☐ **3.** un oiseau **de nuit** : _____

7 Trouve un GN où l'adjectif en gras
aura un autre sens.

☐ **1.** un bon **petit** plat : _____

☐ **2.** son **propre** frère : _____

☐ **3.** une **sale** histoire : _____

8 Remplace les adjectifs par une autre expansion.

☐ **1.** le beau cheval : _____   • la grande maison : _____

☐ **2.** un feu rouge : _____   • ce film magnifique : _____

☐ **3.** une grosse voiture : _____   • un liquide transparent : _____

9 **J'APPLIQUE** pour lire

Mets entre crochets les GN dont le noyau est en gras.

Dans la **fureur** de sa colère , la sorcière empoigna les beaux **cheveux** de Raiponce et les serra dans sa **main** gauche en les tournant une fois ou deux, attrapa des **ciseaux** de sa main droite et cric-crac, les belles nattes tombaient par terre. Mais si impitoyable était sa cruauté, qu'elle s'en alla déposer Raiponce dans une **solitude** désertique, où elle l'abandonna à une existence misérable et pleine de détresse .
Ce même jour encore, elle revint attacher solidement les nattes au **crochet** de la fenêtre .

Les frères Grimm, Contes, « Raiponce »,
traduction de M. Theil (1838).

10 **J'APPLIQUE** pour écrire

Imagine la chevelure
de la sorcière et décris-la.

Consigne
• 5 lignes
• 6 GN

Attention !
Certains sont très
longs.

Coche la couleur que
tu as le mieux réussie.

☐ Relève de nouveaux défis ! ⟶ exercices 1, 2 p. 20
☐ Améliore tes performances ! ⟶ exercices 3, 4 p. 20
☐ Prouve que tu es un champion ! ⟶ exercices 5, 6 p. 20

Chacun
son rythme

6 L'adjectif épithète et le complément du nom

Un tailleur de vêtements invita un petit bossu à dîner.

> D'après *Histoire du bossu avec le tailleur.*

Relève le complément du nom qui complète *tailleur*. ....

Relève l'adjectif épithète de *bossu*. ....

Je retiens

L'épithète et le complément du nom sont des **expansions** qui complètent un **nom noyau**.

 A QU'EST-CE QUE L'ÉPITHÈTE ?

- **L'épithète** est un adjectif qualificatif **placé avant ou après** le nom noyau.
- **Plusieurs épithètes** peuvent se rapporter à **un seul nom**. *un marchand riche et avare*
- **Une seule épithète** peut se rapporter à **plusieurs noms**. *un marchand et un client riches*

B QU'EST-CE QUE LE COMPLÉMENT DU NOM (CDN) ?

- **Le CDN** est un groupe placé **après un nom noyau** (ou un pronom) pour le compléter.
- Il est généralement **introduit par une préposition** : *à (au, aux), de (du, des), en.*
  un fer à repasser, celui de ma sœur
- Il **apporte des précisions** sur l'origine, l'appartenance, la matière, la qualité... *une bague en or*
- La **classe grammaticale** du CDN est un GN ou équivalent (pronom, infinitif...). *une envie de jouer*

C COMMENT L'ÉPITHÈTE ET LE CDN S'ACCORDENT-ILS ?

- L'épithète s'accorde **avec le ou les noms auxquels elle se rapporte** (si les noms n'ont pas le même genre, l'adjectif se met au masculin pluriel). *un verre et une assiette blancs*
- Le CDN, quel que soit le nombre du nom noyau, s'accorde **selon le sens**.
  une foule de spectateurs (il y a obligatoirement plusieurs spectateurs) mais *des assiettes en porcelaine* (la porcelaine ne se met pas au pluriel)

Je m'entraîne

> Attention, tous les adjectifs ne sont pas épithètes !

1 Souligne les adjectifs épithètes et précise quel(s) nom(s) ils complètent.

1. La femme du tailleur portait une longue écharpe bleue. ....

2. Le tailleur lui fit une veste et un pantalon noirs. ....

3. Le petit bossu était très amusant. ....

2 Accorde les adjectifs après avoir souligné le nom qu'ils qualifient.

   1. Très content ....., les invités ravi ..... écoutèrent de long ..... heures de bel ..... histoires tragique ..... .

   2. La jeun ..... et joli ..... conteuse raconta des histoires exquis ....., fin ..... et savoureu ..... au terribl ..... sultan.

   3. Guéri ..... de leur rage meurtri ....., les tyrans odieu ..... deviennent d'agréable ..... compagnons.

3 Souligne les compléments du nom et précise quel(s) nom(s) ils complètent.

   1. J'aime *Les Contes des mille et une nuits*. ....

   2. La femme du tailleur aimait s'amuser des autres. ....

   3. Elle se moquait du tailleur et de sa peur des ennuis. ....

4 Remplace les épithètes en gras par un CDN de même sens.

Par exemple :
matinal =
du matin.

   1. les produits **régionaux** = ... • une intervention **divine** = ...

   2. une température **estivale** = ... • une ambiance **festive** = ...

   3. la vie **rurale** = ... • la vie **insulaire** = ...

5 Choisis la bonne orthographe pour les CDN.

   1. des bols en verre / verres • des routes de campagnes / campagne

   2. un groupe d'élèves / d'élève • une boîte d'allumette / allumettes

   3. un fruit à noyau / noyaux • un fruit à pépin / pépins

6 Ajoute à ces GN une épithète et un CDN.

   1. la sœur : .... • un livre : ....

   2. un conte : .... • un bateau : ....

   3. un voyage : .... • le gâteau : ....

7 **J'APPLIQUE** pour lire

Pendant qu'on mangeait gaiement, la femme du tailleur prit un gros morceau de poisson entre ses doigts et, par plaisanterie, le fourra tout entier dans la bouche du bossu qui fit de grands efforts pour avaler la bouchée de poisson. Malheureusement, une grosse arête de poisson se planta dans le gosier du bossu et l'étouffa. Le tailleur se lamenta : « Quel malheur que ce pauvre homme soit venu mourir entre nos mains ! On va croire que nous sommes les meurtriers du bossu ! »

D'après *Histoire du bossu avec le tailleur.*

a) **Encadre les adjectifs épithètes.**

b) **Souligne les CDN.**

8 **J'APPLIQUE** pour écrire

D'une manière amusante et originale, raconte comment le tailleur et sa femme se débarrassent du corps du bossu.

Consigne
• 10 lignes
• 8 épithètes
• 6 CDN

Coche la couleur que tu as le mieux réussie.

☐ Relève de nouveaux défis ! ⟶ exercices 7, 8 p. 20
☐ Améliore tes performances ! ⟶ exercices 9, 10 p. 21
☐ Prouve que tu es un champion ! ⟶ exercices 11, 12 p. 21

Chacun son rythme

7 La proposition relative

Il y avait des oiseaux qui ne pouvaient s'envoler hors du palais.

D'après « Histoire du pêcheur et du génie » in *Les Mille et Une Nuits*.

Souligne l'expansion du nom *oiseaux* et encadre le mot qui l'introduit.

Je retiens

A   QU'EST-CE QUE LA PROPOSITION SUBORDONNÉE RELATIVE ?

- La relative est une **expansion d'un nom** (ou d'un pronom) qui comporte un verbe conjugué.
- Elle est introduite par un **pronom relatif** : *qui, que, dont, où, lequel, auquel...*
- On appelle **antécédent du pronom relatif** le nom (ou le pronom) complété.
- La fonction de la proposition relative est **complément de l'antécédent**.

  Je t'apporte le livre **dont je t'avais parlé.**

B   COMMENT LE VERBE DE LA PROPOSITION RELATIVE S'ACCORDE-T-IL ?

- Il s'accorde avec son sujet, comme tous les verbes.

  le film que **j'ai vu**

- Si le sujet est le **pronom relatif** *qui*, le verbe s'accorde **avec l'antécédent**.

  C'est **toi** *qui* **racontes** *l'histoire.* **Des amis** *qui* **arrivent.**

Je m'entraîne

1 Souligne les propositions relatives et encadre les pronoms relatifs.

 1. Le spectacle auquel vous allez assister restera dans vos mémoires.

2. L'histoire que je vais vous conter est « L'Histoire du pêcheur et du génie ».

3. Apporte-moi le livre dont je t'ai parlé et que j'aimerais tant lire.

2 Complète par le pronom relatif qui convient et souligne son antécédent.

1. Les voleurs ont emprunté un chemin .... menait à un rocher.

2. Leur capitaine s'approcha de l'arbre .... le sultan s'était réfugié.

3. Il avait retenu les paroles par .... l'histoire commençait.

3 Souligne les antécédents des pronoms relatifs et accorde les verbes.

 1. Connais-tu l'histoire des pêcheurs qui ne jetai .... leur filet que quatre fois ?

2. C'est moi qui racont .... et toi qui écout ....

3. C'est toujours toi qui arriv .... en retard et nous qui t'attend ....

4 Accorde les verbes des relatives.

1. Je veux bien que tu me lis .... l'histoire que tu connai ....

2. C'est toi qui voi .... ce que tu doi .... faire.

3. Ceux qui m'aim .... me suivent et me soutiennent.

4. L'histoire que tu me racont .... me plaît beaucoup.

5. Toi qui aim .... apprendre, observe ceux qui sav .... faire.

6. Toi qui t'en va ......, écris à ceux qui rest .... et qui t'attend ....

5 Souligne chaque relative et remplace-la par un adjectif épithète de même sens.

1. Il s'est blotti dans une cachette qui ne se voyait pas. ➡ ....

2. L'âne est un animal qui mange de l'herbe. ➡ ....

3. Les hiboux sont des animaux qui vivent la nuit. ➡ ....

6 Complète les subordonnées relatives suivantes.

1. Le moyen que .... était ingénieux.

2. Le moyen par lequel .... était ingénieux.

3. L'anecdote à laquelle .... est véridique.

7 Complète ces phrases avec des subordonnées relatives.

1. Le sultan fut surpris de trouver une grotte spacieuse ....
....

2. Les soldats firent prendre la fuite aux mulets ....

3. Les voleurs trouvèrent les sacs d'or ....

4. Les enfants se sont promenés dans une grande forêt ....

5. Le pêcheur avait rencontré un génie ....

6. Il m'a fait visiter un palais ....

> Tu dois employer au moins trois pronoms relatifs différents : *qui, dont, que...*

8 **J'APPLIQUE** pour lire

« Ô jeune adolescent, éclaire-moi sur l'histoire de ce lac dont les poissons sont colorés, et aussi sur ce palais, sur lequel règne le plus grand mystère, et sur ta solitude qui est cause de tes larmes », implora le sultan dont la curiosité était grande.

D'après «Histoire du pêcheur et du génie» in *Les Mille et Une Nuits*.

a) **Souligne les relatives.**

b) **Encadre les pronoms relatifs.**

9 **J'APPLIQUE** pour écrire

À ton tour, décris un lac aux poissons colorés ou un palais mystérieux. Imagine ce que tu y ferais.

Consigne
• 15 lignes
• 5 relatives
• 3 pronoms relatifs différents

Coche la couleur que tu as le mieux réussie.

☐ Relève de nouveaux défis ! ⟶ exercices 13, 14 p. 21
▨ Améliore tes performances ! ⟶ exercice 15 p. 21
▨ Prouve que tu es un champion ! ⟶ exercice 16 p. 21

Chacun son rythme

Le groupe nominal

1. Chasse à l'intrus Barre les groupes qui ne sont pas des GN.

le matin • il vient • le petit frère de mon ami • le train qui part à treize heures • très rapidement • tous les mardis • ne passe pas • une histoire incroyable

2. Quiz Coche les phrases vraies.

1. Un GN comporte au minimum un nom et son déterminant. ☐

2. Un GN ne peut pas comporter plus de quatre mots. ☐

3. Un GN ne peut pas comporter d'adjectif qualificatif. ☐

4. Un GN peut parfois être très long. ☐

3. Range-mots Classe les mots ou groupes de mots dans la bonne colonne.

ces vacances • une belle histoire • le bureau de mon père • un film qui finit bien • ce long récit de voyage • ses exposés interminables qui n'intéressent personne

Déterminants du nom noyau	Noms noyaux	Expansions
....	....	....
....	....	....
....	....	....
....	....	....
....	....	....

4. Pyramide Remplis cette pyramide à l'aide des définitions puis retrouve les noms noyaux des GN (attention, ils ne sont pas dans l'ordre !).

Céréale :

Astuce :

Tulipe :

Habitation :

Partie d'un récit :

On y fait du feu :

une belle .... jaune • le nouvel ....
que j'ai raté • notre nouvelle .... de vacances
• un .... qui ne colle jamais • la .... du renard
• la grande .... du salon

5. Labo des mots Barre les expansions de ces GN et remplace-les par une ou plusieurs expansions de ton choix.

1. une invention étonnante :

....

2. une passionnante histoire de vampires :

....

3. le livre de la jungle :

....

4. ce joli sourire qui illumine son visage :

....

6. Méli-mélo Remets ces éléments en ordre pour former quatre GN.

mes • vacances • quelle • imprudent • moment • la • cet • histoire • souvenirs • frère • incroyable • meilleurs • de • promeneur • quel • à • de • journée

1. ....
2. ....
3. ....
4. ....

L'adjectif épithète et le complément du nom

7. Range-mots Souligne les épithètes en rouge et les CDN en bleu.

1. un grand cercle

2. une compétition d'athlétisme

3. une longue liste de courses

4. une belle histoire d'amour

5. le nouveau centre équestre de la commune

8. Quiz Coche les phrases vraies.

1. L'adjectif épithète et le CDN sont des expansions du GN. ☐

2. L'adjectif épithète est toujours placé avant le nom. ☐

3. Le CDN est introduit par une préposition. ☐

4. Il ne peut pas y avoir un CDN et une épithète dans un même GN. ☐

La proposition relative

9. Le jeu du pendu **Retrouve les expansions de ces GN et précise à côté si elles sont épithètes (E) ou complément du nom (CDN).**

1. un chemin de m _ _ _ _ _ _ _ e (..............)
d_ _ _ _ _ _ _ _x (.......)

2. un spectacle de d _ _ _ e (..............)
f_ _ _ _ _ _ _ e (.......)

3. une l _ _ _ _ _ e (.......) trace de p _ _ _ _ _ _ _ e
(..............)

10. Pyramide **Remplis cette pyramide puis replace dans les GN, en les accordant, les épithètes trouvées.**

Égal à 0:

Pas rapide:

Pesant:

Pas riche:

Drôle:

une .... charge • un match ....
• des enfants .... • des histoires ....
• une démarche ....

11. Lettres mêlées **Remets les lettres en ordre pour retrouver les expansions des GN. Utilise ensuite le nom noyau dans un autre GN de ton invention.**

1. Un (eminsme) .... jeu de
(nsuictortcno) ....
Ton GN : ....

2. Une (belipmétnaré) ....
forêt de (psians) ....
Ton GN : ....

12. Charade

Mon premier est un petit mot qui relie.

Mon second est un animal qui aime beaucoup les cheveux des enfants.

Mon troisième souffle souvent au bord de la mer.

On déjeune sur **mon quatrième**.

Utilise **mon tout** comme épithète dans un GN de ton invention.

Réponse: ....

GN: ....

13. Chasse à l'intrus **Barre les mots qui ne peuvent pas être des pronoms relatifs.**

qui • donc • où • que • quand • et • dont • auquel • pourquoi • lequel • quoi • pour

14. Quiz **Coche les phrases vraies.**

1. Une proposition relative est une expansion du nom. ☐

2. Une proposition relative comporte un verbe conjugué. ☐

3. Une proposition relative ne commence pas toujours par un pronom relatif. ☐

4. Une proposition relative est complément de l'antécédent. ☐

5. Le pronom relatif évite la répétition de l'antécédent. ☐

15. Bouche-trous **Complète par le pronom relatif manquant.**

1. une histoire .... finit bien

2. un livre .... on se souvient longtemps

3. un village .... je ne connais pas

4. la maison .... je passe toutes mes vacances

5. le souvenir .... je pense

16. Méli-mélo **Remets en ordre les mots de ces propositions relatives pour compléter les GN.**

qui • où • mon frère • je • dont • roule • auquel • le nom • me • que • on • à • j'ai oublié • a attribué • vais • l'électricité • un prix • prête

1. un jeu vidéo ....

2. une voiture ....

3. une fleur ....

4. le collège ....

5. un film ....

Je sais accorder les mots à l'intérieur du groupe nominal

J'observe

Ma petite sœur m'a offert un bouquet de fleurs.

Encadre les deux GN et souligne les noms noyaux.

Tous les mots du premier GN sont-ils au même genre et au même nombre ? ....

Quelle expansion trouve-t-on dans le deuxième GN ? ....

Est-elle accordée en genre et en nombre avec le nom noyau ? ....

Je retiens

 A COMMENT ACCORDE-T-ON LES DÉTERMINANTS ?

• Le déterminant et le nom s'accordent en **genre** et en **nombre**. *une rose, **des** roses, **cette** rose, **ces** roses*

• Les **articles définis** *le* et *la* perdent la voyelle finale devant un nom qui commence par une **voyelle** ou un *h* **non aspiré**. *l'eau, l'histoire* mais *le hamac*

• Les **déterminants possessifs** *ma, ta, sa* se changent en ***mon, ton, son*** devant un nom **féminin qui commence par une voyelle**. *son oreille*

• Le **déterminant démonstratif** *ce* se change en ***cet*** devant un nom qui commence par une **voyelle** ou un *h* **non aspiré**. *cet homme, cet exercice*

 B COMMENT ACCORDE-T-ON LES ADJECTIFS ÉPITHÈTES ?

• L'adjectif qualificatif s'accorde **en genre et en nombre** avec le nom auquel il se rapporte.
  *une **belle** rose, de **belles** roses, un **beau** terrain, des **beaux** terrains*

• Lorsque l'adjectif **qualifie plusieurs noms, il se met au pluriel** ; lorsque l'un des noms est **masculin**, il s'accorde au **masculin pluriel**. *un homme et une femme **élégants***

• Les **adjectifs de couleur composés** et les **noms utilisés comme adjectifs** restent **invariables**. **Exceptions :** *mauve, fauve, rose. des yeux **marron**, des tissus **bleu foncé**, des vêtements **roses***

Remarque : ***beau, fou, nouveau*** et ***vieux*** se changent en ***bel, fol, nouvel*** et ***vieil*** devant un nom qui commence par une **voyelle** ou un *h* **non aspiré**. *un **bel** arbre, un **nouvel** ami*

 C COMMENT ACCORDE-T-ON LES COMPLÉMENTS DU NOM ?

• Le CDN ne s'accorde **pas avec le nom noyau** mais **selon le sens**.
  un bouquet de fleurs (il y a plusieurs fleurs dans un bouquet)
  des pots en terre (il s'agit de la matière, le pluriel n'a pas de sens)

• Lorsque le CDN n'est pas précédé d'un déterminant, il garde la **même orthographe au pluriel**.
  un bateau à moteur, des bateaux à moteur (un seul moteur par bateau)

 D COMMENT ACCORDE-T-ON LE VERBE DE LA PROPOSITION RELATIVE ?

• Si la proposition relative est introduite par ***qui***, le verbe s'accorde avec l'antécédent. *Ce sont eux qui **ont** eu l'idée.*

1 Complète les GN par l'article défini qui convient.

1. .... hasard
2. .... hiver
3. .... harmonie
4. .... prix
5. .... hantise
6. .... compromis

2 Accorde l'adjectif entre parenthèses.

1. un chien et un chat (gentil) ....
2. mes (agréable) .... amies
3. mes écharpes (grand) .... et (chaud) ....
4. de (vieux) .... fous
5. un (vieux) .... appartement
6. un (beau) .... avenir

3 Accorde les adjectifs de couleur.

1. une robe (vert) ....
2. des fleurs (mauve) ....
3. des eaux (turquoise) ....
4. une veste (bleu clair) ....
5. des tasses (orange) ....

4 Coche la bonne réponse.

1. C'est moi qui :
a ☐   as ☐   ai ☐ gagné !
2. Ce sont ceux-là qui
avait ☐   avaient ☐ ramassé ta clef.
3. Si c'est toi qui
a ☐   as ☐   ai ☐ agi, assume-le !

5 Conjugue les verbes dans les relatives.

1. Nous qui (gagner, passé composé) ...., nous pouvons être fiers !
2. Ceux qui (admirer, présent) .... les stars essaient de les rencontrer.
3. C'est toi qui (boire, passé composé) ....

6 Accorde les adjectifs.

1. une pièce (obscur) ....
2. des victoires (répétitif) ....
3. la dette (public) ....

7 Transpose les GN au singulier.

1. mes choix favoris : ....
2. de vieux tapis : ....
3. des perdrix blanches : ....
4. d'heureux succès : ....
5. ces amis tristes : ....
6. des ennuis familiaux : ....

8 Accorde ces CDN.

1. un groupe d'(élève) : .... • des sacs de (sucre) : .... • des vases en (cristal) : ....
2. un battement d'(aile) : .... • des pots de (beurre) : .... • un instrument à (corde) : ....
3. un fruit à (noyau) : .... • un fruit à (pépin) : .... • un bateau à (voile) : ....

JE CONSOLIDE mon orthographe

9 Accorde les mots ou groupes entre parenthèses et conjugue les verbes au présent.

1. (ce) .... été et (ce) .... vacances (extraordinaire) ....
2. (un) .... chemise (vert pomme) .... et (un) .... jupe (turquoise) ....
3. un patin à (roulette) .... • des chaussures en (cuir) ....
4. un (vieux) .... instrument • un (beau) .... endroit
5. ceux qui (arriver) .... en retard • moi qui (avoir) .... réussi

Comment distinguer les pronoms des déterminants ?

Certains pronoms et certains déterminants sont homonymes : ils se prononcent et s'écrivent de la même manière. Comment les différencier ?

Je repère la place du mot dans la phrase

- Le **déterminant** est le premier mot d'un **groupe nominal** ; il est suivi d'un nom ou d'un adjectif.

  la princesse, le beau prince, ce gentil roi, leur grande et belle jeune fille

- Les **pronoms personnels** *le, la, les, l', leur* sont placés **avant un verbe** (ou juste après à l'impératif).

  je la vois, il leur a parlé, il l'aperçoit, dis-le

- Le **pronom démonstratif** *ce* se rencontre **avant le verbe être** ou avant *qui, que, à quoi*.

  ce sont d'excellentes nouvelles, ce que tu veux

Je vérifie que j'ai bien compris

1 Repère la place des mots en gras et coche les bonnes réponses.

	Avant un verbe	Avant un nom	Déterminant	Pronom
Toutes **les** filles du roi étaient belles.				
Leurs vœux pouvaient être exaucés.				
Elle me **le** demandait avec insistance.				
Elle a obtenu **ce** compromis.				
Elle ne **leur** avait pas tout dit.				

Je remplace ce mot par un autre mot

- Le **déterminant** peut être remplacé par **un autre déterminant** (qui n'a pas d'homonyme).

  la princesse → une princesse

- Les **pronoms personnels** peuvent souvent être remplacés par **le nom ou le GN qu'ils représentent**.

  Ton frère a grandi, mais je l'ai reconnu. → J'ai reconnu ton frère.

Je vérifie que j'ai bien compris

2 Remplace les mots en gras par un déterminant ou un nom puis coche la bonne réponse.

	Déterminant	Pronom
1. Elle joue avec **la** balle.	☐	☐
2. Quand Paul parle, elle ne **l'**écoute pas.	☐	☐
3. **Leur** promesse est grande.	☐	☐
4. **Les** rayons du soleil arrivent jusqu'à nous.	☐	☐
5. Cette histoire, nous **la** connaissions !	☐	☐

À RETENIR

- *Le, la, les, l', leur, ce* + nom = déterminant (remplaçable par un autre déterminant).
- *Le, la, les, l', leur, ce* (ou *c'*) + verbe = pronom (souvent remplaçable par le nom ou le GN qu'il représente).

J'APPLIQUE LA MÉTHODE

3 Articles ou pronoms personnels ? Souligne les mots en gras : articles en bleu et pronoms en rouge.

1. **Le** livre **les** a déçus. **Les** enfants **l'**ont trouvé ennuyeux.

2. **L'**homme qui avait agi en héros a été félicité et **l'**avait bien mérité.

3. Isabelle relit encore **la** leçon, mais **la** sait déjà par cœur.

4. Mathieu joue avec **la** télécommande et **le** fait exprès pour **les** énerver.

4 Déterminant possessif ou pronom personnel ? Souligne le mot *leur(s)* en bleu quand il est déterminant et en rouge quand il est pronom.

1. Explique-**leur** la leçon car il **leur** manque une séance et **leur** cours n'est pas complet.

2. Le professeur **leur** a ordonné d'arrêter **leur** dispute.

3. Qui a de **leurs** nouvelles ? **Leur** téléphone sonne occupé et je **leur** ai envoyé des messages sans succès.

5 Pronom ou déterminant démonstratif ? Souligne le mot *ce* en bleu quand il est déterminant et en rouge quand il est pronom.

1. Elle est absente **ce** matin, **ce** sera à nous de la remplacer.

2. Il veut visiter **ce** musée, et tout **ce** qui est important dans la ville.

3. **Ce** qu'il m'a raconté s'est passé dans **ce** beau quartier.

6 Complète par *leur* ou *leurs*.

1. Les élèves sont rangés, ... professeur .... a dit de l'attendre devant l'entrée.

2. .... enfants sont petits, ... avez-vous donné la main pour traverser ?

3. Je vais appeler mes amis pour .... demander .... avis.

4. Montrez-........................ chaussures.

7 Complète par *ce, c', cet, ceux* ou *se*.

⚠ *Ceux* est un pronom démonstratif, c'est le **pluriel de** *celui*.

1. .... après-midi, il a plu, ... est dommage.

2. Il ne .... doute pas de .... qui l'attend.

3. Ne touchez pas .... champignon, prenez plutôt .... qui sont dans .... panier.

8 Donne la classe grammaticale des mots en gras.

1. Le roi Henri **l'**y fit monter avec la princesse.

....

2. Henri, est-**ce** toi qui a brisé ce vase ? ....

....

3. Ce n'est pas **la** voiture. ....

4. **Leur** accord n'a pas tenu longtemps.

....

5. On **les** a entendus par deux fois encore.

....

6. Il **leur** a plu. ....

9 Écris chaque mot dans deux phrases : l'une où il sera un pronom personnel, l'autre où il sera un déterminant.

1. *leur* : a. ....

b. ....

2. *les* : a. ....

b. ....

....

3. *ce* : a. ....

b. ....

10 **BILAN** Souligne les articles définis en bleu et les pronoms personnels *le* ou *la* en rouge. Encadre les pronoms démonstratifs en bleu.

Le roi dit alors : « Ce que tu as promis, il faut le faire. Va et ouvre ! » [...] La princesse fit ce qu'on voulait, mais c'était malgré tout de mauvais cœur. [...] La fille du roi se mit à pleurer; elle avait peur du contact glacé de la grenouille et n'osait pas la toucher. [...] Mais le roi se fâcha et dit : « Tu n'as pas le droit de mépriser celle qui t'a aidée quand tu étais dans le chagrin. » La princesse saisit la grenouille entre deux doigts, la monta dans sa chambre et la déposa dans un coin. Quand elle fut couchée, la grenouille sauta près du lit et dit : « Prends-moi, sinon je le dirai à ton père. » La princesse se mit en colère, saisit la grenouille et la projeta de toutes ses forces contre le mur.

Les frères Grimm, *Contes*, « Le Roi-grenouille ou Henri-le-Ferré », traduction de M. Theil (1838).

25

9 Le présent de l'indicatif et de l'impératif (1er groupe)

J'observe

Le navire *passe*. Un bateau pirate *croise* sa route. Les pirates *s'approchent* du navire. « *Regardez !* » *s'écrie* la vigie.

Quelle voyelle retrouves-tu dans les terminaisons de tous les verbes en italique ? ....

À quel groupe les verbes en italique appartiennent-ils ? ....

Quelle forme n'est pas accompagnée de son sujet ? ....

Je retiens

A LES TERMINAISONS DU PRÉSENT DE L'INDICATIF DES VERBES DU 1ER GROUPE

• Les terminaisons sont : **-e, -es, -e, -ons, -ez, -ent**. *je parle, tu aimes, nous dansons*

• Elles **ne changent jamais**, même lorsque le radical finit par une voyelle. *j'étudie, elles jouent*

B QUAND LE RADICAL DU VERBE CHANGE-T-IL ?

Radical	Modification	Exemples
• finit par un **c**	**c → ç** à la 1re personne du pluriel	*je place, nous plaçons*
• finit par un **g**	**g → ge** à la 1re personne du pluriel	*je mange, nous mangeons*
• finit par un **y**	**y → i** sauf aux 1re et 2e personnes du pluriel (pas obligatoire pour les verbes en –*ayer*)	*je nettoie, nous nettoyons* *je paie (ou je paye)*
• **é** ou **e** dans la **dernière syllabe**	**é** ou **e → è** sauf aux 1re et 2e personnes du pluriel	*je sème, nous semons* *j'espère, nous espérons*
• finit par **et** ou **el** (sauf *acheter* et *geler*)	**et → ett** et **el → ell**, sauf aux 1re et 2e personnes du pluriel	*je jette, nous jetons* *j'appelle, nous appelons*

Remarque : *acheter* et *geler* prennent un **è** sauf aux 1re et 2e personnes du pluriel.

j'achète, nous achetons / il gèle, nous gelons

C COMMENT CONJUGUER UN VERBE DU 1ER GROUPE À L'IMPÉRATIF ?

• Le sujet n'est pas exprimé. *Mange !*

• L'impératif ne comporte que trois personnes : la 2e du singulier, la 1re du pluriel et la 2e du pluriel. Les terminaisons sont : **-e, -ons, -ez**. *Danse ! Dansons ! Dansez !*

▶ Tableaux de conjugaison complets p. 126 à 128.

Je m'entraîne

1 Complète les verbes au présent de l'indicatif.

1. j'espèr....... • tu dans....... • il chant....... • nous pens....... • vous tir....... • ils gliss.......

2. je cri....... • tu remu....... • il pli....... • nous mang....... • vous trou....... • ils rang.......

3. je netto....... • tu envo....... • il oubli....... • nous pla....... • vous annon....... • ils tri.......

2 Conjugue au présent de l'indicatif à la personne indiquée.

   1. prêter : il .... • lâcher : tu .... • garder : nous .... • plier : tu ....

   2. ranger : nous .... • trouer : je .... • remercier : ils .... • lever : ils ....

   3. égayer : il .... / .... • jeter : tu .... • posséder : nous .... • étinceler : j' ....

3 Mets ces phrases à la même personne du pluriel.

   1. Je danse ce soir. ....

   2. Il loue un appartement. ....

   3. Tu exagères ! ....

4 Transforme à l'impératif.

   1. tu frappes : .... • nous lançons : .... • vous sautez : ....

   2. tu joues : .... • nous nous engageons : .... • vous le louez : ....

   3. tu le nettoies : .... • nous l'espérons : .... • vous ne nous
   payez pas : ....

5 Transforme la recette suivante en passant à la 2ᵉ personne du singulier.

Achetez les ingrédients. Disposez-les dans un saladier, puis mélangez-les. Enfournez-les. Patientez vingt minutes. C'est prêt, dégustez ! Ne laissez pas une miette !

....

....

6 **J'APPLIQUE** pour lire

Dirk n'a jamais été qu'un lâche imbécile, ne vous occupez pas de lui […]. Grouillez et cherchez après ! Le diable ait mon âme ! Ah ! Si j'y voyais ! […]
– Vous avez sous la main des mille et des mille, tas d'idiots, et vous hésitez ! Vous serez riches comme des rois si vous trouvez l'objet. Vous savez qu'il est ici, et vous tirez au flanc !

D'après Robert Louis Stevenson,
L'Île au trésor, traduction de Déodat Serval (1882).

a) Souligne les verbes du 1ᵉʳ groupe au présent de l'indicatif.

b) Entoure les verbes du 1ᵉʳ groupe au présent de l'impératif.

c) Transpose les verbes à l'impératif au singulier.

....

....

....

7 **J'APPLIQUE** pour écrire

Imagine que tu es le chef des pirates. Décris le contenu du trésor. Ordonne ensuite à ton équipage d'aller le chercher en détaillant l'itinéraire à prendre.

Consigne
• 5 verbes du 1ᵉʳ groupe à l'indicatif présent pour le trésor
• 5 verbes du 1ᵉʳ groupe à l'impératif présent pour l'itinéraire

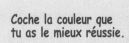
Coche la couleur que tu as le mieux réussie.

☐ Relève de nouveaux défis ! ⟶ exercices 1, 2 p. 32
☐ Améliore tes performances ! ⟶ exercices 3, 4 p. 32
☐ Prouve que tu es un champion ! ⟶ exercices 5, 6 p. 32

Chacun son rythme

10 Le présent de l'indicatif et de l'impératif (2e et 3e groupes)

▶ Tableaux de conjugaison complets p. 126 à 128.

J'observe

Il *ouvre* la porte de l'auberge et dit à son matelot «*suis*-moi». Les buveurs *voient* sa balafre et *frémissent*. Il *finit* son verre, puis il *repart*, sans un mot.

Observe les verbes en italique. Quel est leur infinitif? ....

Relève les terminaisons de la 3e personne du singulier. ....

Je retiens

A LES TERMINAISONS DU PRÉSENT DE L'INDICATIF DES VERBES DU 2E GROUPE

- Les terminaisons sont: **-is, -is, -it, -issons, -issez, -issent**.

  *je fin**is**, tu fin**is**, il fin**it**, nous fin**issons**, vous fin**issez**, ils fin**issent***

B LES TERMINAISONS DU PRÉSENT DE L'INDICATIF DES VERBES DU 3E GROUPE

- Les terminaisons sont le plus souvent: **-s, -s, -t, -ons, -ez, -ent**.
- Parfois le radical change.

  *je su**is**, tu su**is**, il su**it**, nous suiv**ons**, vous suiv**ez**, ils suiv**ent***
  (le radical est *sui-* au singulier, puis *suiv-* au pluriel)
  *je repar**s**, nous repart**ons*** • *je vien**s**, nous ven**ons**, ils vienn**ent***

C PRINCIPAUX VERBES IRRÉGULIERS

- ***Pouvoir, vouloir, valoir***: **-x** aux 1re et 2e personnes du singulier. *je peu**x**, je veu**x**, tu vau**x***
- ***Dire*** et ***faire***: **-tes** à la 2e personne du pluriel. *vous di**tes**, vous fai**tes***
- ***Offrir, ouvrir, cueillir***: comme les verbes **du 1er groupe**. *j'ouvr**e**, tu offr**es**, ils cueill**ent***
- Les **verbes en -dre** (sauf les verbes en **-indre** et **-soudre**): au singulier, ils ont pour terminaisons **-ds, -ds, -d**. *je pren**ds**, tu ven**ds**, il cou**d** ≠ je pein**s**, il résou**t***
- ***Être, avoir*** et ***aller*** sont irréguliers.

D COMMENT CONJUGUER LES VERBES DES 2E ET 3E GROUPES À L'IMPÉRATIF?

- Ils ont la **même terminaison qu'au présent de l'indicatif**. *finissons! offre! dites!*
- Si **le radical change** au présent, il **change aussi à l'impératif**. *viens! venons!*
- Trois exceptions: ***être, avoir*** et ***savoir***. *sois, soyons, soyez* • *aie, ayons, ayez* • *sache, sachons, sachez*

Je m'entraîne

1 Complète les verbes au présent de l'indicatif.

1. je faibli......... • tu fini......... • il/elle choisi.........
nous vieill......... • vous sais.........
• ils/elles trah.........

2. je vien......... • tu repar......... • il/elle reçoi.........
nous buv......... • vous cour......... • ils/elles descend.........

3. je veu......... • tu compren......... • il/elle offr.........
nous pouv......... • vous fai......... • ils/elles ouvr.........

2 Conjugue au présent de l'indicatif à la personne indiquée.

▢ **1.** obéir : tu .... • se nourrir : elle .... • démolir : nous ....

▢ **2.** tenir : je .... • mordre : il .... • dire : vous .... • endormir : ils ....

▢ **3.** pouvoir : tu .... • aller : tu .... • résoudre : il .... • vendre : tu ....

3 Conjugue au présent aux personnes indiquées.

réfléchir	exclure	recevoir
tu	j'	je ....
elle	il	elle ....
vous	nous	vous ....
ils	ils	ils ....

4 Transforme à l'impératif.

▢ **1.** tu finis : .... • nous choisissons : .... • vous salissez : ....

▢ **2.** tu sais : .... • nous prenons : .... • vous obéissez : ....

▢ **3.** tu prends : .... • tu cries : .... • tu écris : ....

5 Choisis la bonne terminaison.

> Si tu hésites, il faut te demander **à quel groupe** appartient le verbe.

▢ **1.** je dis / die • je plie / plies • il écrit / écrie • il évalue / évalut

▢ **2.** il appuie / appuit • je conclue / conclus • il rue / rut • tu réfléchis / réfléchies

▢ **3.** j'essaie / essais • il fleurit / fleurie • il associt / associe • elle accomplie / elle accomplit

6 **J'APPLIQUE** pour lire

– C'est parfait. Tout va bien jusque-là. Mais je constate que chacun des simples matelots en sait plus que moi. Trouvez-vous cela bien, voyons, dites ?
– Non, fait le docteur Livesey, ce n'est pas bien, je l'admets.
– Ensuite, j'apprends que nous allons à la recherche d'un trésor… c'est mon équipage qui me l'apprend, remarquez. Or, les trésors, c'est de la besogne délicate ; je n'aime pas du tout les voyages au trésor ; et je les aime encore moins quand ils sont secrets.

D'après Robert Louis Stevenson, *L'Île au trésor*, traduction de Déodat Serval (1882).

a) **Souligne en bleu les verbes du 1er groupe au présent de l'indicatif.**

b) **Souligne en rouge les autres verbes au présent de l'indicatif. Quel est leur groupe ?** ....

c) **Encadre les verbes à l'impératif.**

7 **J'APPLIQUE** pour écrire

Décris au présent de l'indicatif le chef des pirates le plus effrayant possible ! N'hésite pas à donner des détails. Imagine les ordres qu'il peut donner à son équipage.

Consigne
• 6 lignes
• 4 verbes au présent de l'indicatif
• 4 verbes au présent de l'impératif

Coche la couleur que tu as le mieux réussie.

▢ Relève de nouveaux défis ! ⟶ exercice 7 p. 32
▢ Améliore tes performances ! ⟶ exercices 8 p. 32 et 9 p. 33
▢ Prouve que tu es un champion ! ⟶ exercices 10, 11 p. 33

Chacun son rythme

29

11 L'emploi du présent dans un récit

L'Île au trésor est un roman de R. L. Stevenson datant de 1782. Il raconte les aventures d'un équipage de pirates qui se lance dans une chasse au trésor.

Souligne les verbes conjugués. À quel temps sont-ils ? ....

Indiquent-ils une action qui se déroule en ce moment ? ....

Je retiens

A DANS UN RÉCIT AU PRÉSENT

J'emploie le présent pour évoquer :

• une **action** ou une **situation en cours** = **présent d'actualité**. *Je fais mes devoirs. Je suis en 5ᵉ*.

• une **description** = présent de description. *Des vagues énormes frappent le rivage.*

• une **action régulière** ou **habituelle** = **présent d'habitude**. *Tous les jours, je lis le journal.*

• des **faits passés** ou **futurs** très proches du présent = **présent de proximité**. *Il part à l'instant. Je finis dans cinq minutes.*

B DANS UN RÉCIT AU PASSÉ

J'emploie le présent pour :

• **mettre en valeur une action** et rendre un instant du récit plus vivant = **présent de narration**. *Elle traversait la forêt en voiture… tout à coup, un cerf se précipite sous ses roues.*

• **exprimer des faits toujours vrais** quelle que soit l'époque = **présent de vérité générale**. *L'Île au trésor est un roman de Stevenson.*

Je m'entraîne

1 Indique s'il s'agit d'un présent d'actualité, de description ou d'habitude.

1. En ce moment, je fais des exercices de grammaire. ....

2. Paul a les yeux marron et porte un pull-over gris. ....

3. Aujourd'hui, nous travaillons au CDI. ....

4. Tous les matins et tous les soirs, ils se brossent les dents. ....

5. Le canapé d'Antoine est en cuir rouge, avec des coussins moelleux. ....

6. Le vendredi soir, je vais au cinéma avec mes parents. ....

2 Relie chaque présent à sa valeur.

1. Ils partent bientôt en vacances. •   • actualité

2. Je fais mes devoirs avec attention. •   • futur proche

3. Nous sortons à peine
de la bibliothèque.   •   • proximité

3 Souligne en bleu les présents d'habitude et en rouge les présents de vérité générale.

  1. L'habit ne fait pas le moine.

  2. Je téléphone à ma grand-mère tous les soirs.

  3. Jules Verne est l'auteur de nombreux romans d'aventure.

  4. La Terre tourne autour du Soleil.

  5. Le dimanche matin, toute la famille va au marché.

  6. Chaque année, Antoine fête son anniversaire chez ses parents.

4 En fonction du temps du récit, indique si les verbes en gras sont des présents d'actualité ou de narration.

  1. Que **fais**-tu ? Je **répare** ma moto. ....

  2. Je ne **peux** pas quitter la cuisine, je **surveille** mon gâteau. ....

  3. Le combat touchait à sa fin ; il **frappe**, **transperce**, **bataille** tant qu'il peut. ....

5 Dans ces récits au passé, indique si les verbes en gras sont des présents de vérité générale ou de narration.

  1. Ils n'étaient plus très loin du sommet et reprenaient espoir. Mais soudain, une pluie violente **s'abat** sur les alpinistes. ....

  2. La future maman souffrait depuis plusieurs heures… Enfin, le bébé **sort** sa tête ! ....

  3. Ils souffraient tous terriblement du froid. En effet, l'hiver **est** la saison des glaces. ....

6 Conjugue au présent et indique ce qu'exprime le verbe.

  1. Je `RETROUVER` .... Emma dans dix minutes. ....

  2. Ils `FAIRE` .... de l'athlétisme tous les lundis soir. ....

  3. Cette année, j'`HABITER` .... à Paris. ....

  4. Les arbres `PERDRE` .... leurs feuilles en hiver. ....

  5. Les campanules bleutées `RECOUVRIR` .... la vallée. ....

  6. Adrien clouait la dernière planche, toute la bibliothèque `S'EFFONDRER` ....

7 **J'APPLIQUE** pour lire

Parfaitement. C'est un galant homme et un magistrat. Et maintenant que j'y **pense**, je ferais bien d'aller de ce côté-là, moi aussi, pour rendre compte à lui ou au chevalier. [...] Or donc, Hawkins, nous *partons* dans cinq minutes !
D'après Robert Louis Stevenson, *L'Île au trésor*, traduction de Déodat Serval (1882).

a) Quelle est la valeur du présent en gras ?
....

b) Quelle est la valeur du présent en italique ?
....

c) Souligne dans le texte un présent de description.

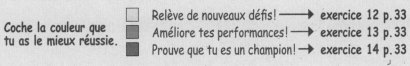

Coche la couleur que tu as le mieux réussie.
☐ Relève de nouveaux défis ! → exercice 12 p. 33
▨ Améliore tes performances ! → exercice 13 p. 33
■ Prouve que tu es un champion ! → exercice 14 p. 33

Chacun son rythme

Chacun son rythme

Le présent de l'indicatif et de l'impératif (1er groupe)

1. Quiz Coche les phrases vraies.

Au présent de l'indicatif, les verbes du 1er groupe :

☐ ont des terminaisons en -e à toutes les personnes sauf une.

☐ ont la même terminaison à la 1re personne du singulier et à la 2e personne du singulier.

☐ ont la même terminaison à la 1re personne du singulier et à la 3e personne du singulier.

2. Chasse à l'intrus Barre les forme verbales qui ne sont pas des impératifs.

joue • attendez • laisses • crient • louons • paye • allongée • oubliez • mange • crées • avançons • trouer • pousse • assiégeons

3. Casse-tête Souligne les six infinitifs du premier groupe, puis conjugue-les pour compléter les phrases.

Vendreavecaimercoudrejeuverticalementvirerloisrêver bateauboucaniermangerpoissonslirevivresemeraller errancepériplesansrécolterprune

1. Le pirate .... vivre en mer.
2. Le bateau .... de bord.
3. Tu .... de retrouver un trésor.
4. Nous .... tous ensemble pour fêter un abordage réussi.
5. Qui .... le vent, ... la tempête.

4. Pyramide Utilise des verbes de sens contraire et à l'impératif pour remplir la pyramide.

1. délie :
2. chuchote :
3. dépliez :
4. sors :
5. vendez :
6. reculons :

5. Jeu du pendu Retrouve les verbes conjugués au présent ou à l'impératif dans ces phrases (une lettre par tiret).

1. Tu P __ __ __ __ __ pour ton repas en faisant la plonge.
2. Nous E __ __ __ __ __ __ __ ce moussaillon en mer pour la première fois.
3. Nous R __ __ __ __ __ __ __ __ __ nos filets de pêche lorsqu'ils sont usés.
4. Ils E __ __ __ __ __ __ __ __ __ __ pour un long voyage.
5. Ils J __ __ __ __ __ __ de l'accordéon lorsque les nuits sont longues.
6. R __ __ __ __ __ __ __ nos chambres, ensuite nous partirons pour l'aventure !

6. Devinette Barre tous les verbes du 1er groupe au présent de l'indicatif ou de l'impératif. Avec les mots restants, tu trouveras une devinette. Pourras-tu y répondre ?

Jemarchepensespeuxliepencheêtrerasentpassessanguin possèdonsouavançonsbienplacenettoyezpirate.libère Quilissonssuisabordent-jeplie? ajoute

Réponse : ....

Le présent de l'indicatif et de l'impératif (2e et 3e groupes)

7. Quiz Coche les phrases vraies.

☐ Les verbes du 3e groupe ont souvent plusieurs radicaux.

☐ Les verbes du 3e groupe ont parfois un infinitif en -ire.

☐ Les verbes dire et faire sont irréguliers à la 2e personne du pluriel.

8. Méli-mélo Encadre le verbe du 2e groupe dans la liste et conjugue-le pour compléter la phrase.

1. ranger / frémir / rire

.... tous, les pirates sont de retour !

2. placer / cuire / agir

Nous ...., lorsqu'il le faut.

3. rougir / fuir / avancer

Je .... à sa vue.

9. Lettres mêlées **Remets les lettres dans l'ordre pour trouver un infinitif. Puis conjugue-le à l'impératif pour compléter la phrase.**

1. RIFNI: ....

.... ce que tu as à faire, nous partons !

2. VSARIO: ....

.... que nous n'oublierons jamais ce que tu as fait, Long John Silver !

3. REDMNOCREP: ....

.... bien : ce n'est pas un simple trésor.

4. BORIE: ....

.... aux ordres, ou bien tu t'en repentiras, petit !

10. Charade

Mon premier est un verbe de perception du 3ᵉ groupe, à la 3ᵉ personne du singulier du présent de l'indicatif. **Mon deuxième** est la durée écoulée depuis la naissance de quelqu'un. **Mon troisième** est la terminaison de la 1ʳᵉ personne du pluriel du présent de l'impératif de **mon tout** qui ne tient pas en place.

Réponse : ....

11. Méli-mélo **Retrouve les six verbes conjugués au présent de l'indicatif et de l'impératif des 2ᵉ et 3ᵉ groupes dans la grille. Utilise-les pour compléter les phrases.**

P	R	E	N	D	S
E	L	V	J	I	P
R	H	A	O	T	U
D	Y	S	J	Q	P
S	D	U	R	T	Y
V	O	I	E	N	T
L	I	S	O	N	S

1. Ne .... pas ce match, ou bien tu seras éliminé !

2. .... soin de cette carte ou tu t'en repentiras !

3. Le capitaine .... à ses matelots qu'il est temps de rentrer.

4. Ils .... des oiseaux, car la terre est proche.

5. .... cette histoire, afin de rêver un peu !

6. .... dans cette direction, et dis-nous si tu vois quelque chose !

L'emploi du présent dans un récit

12. Quiz **Coche les phrases vraies.**

1. Le présent sert toujours à faire des descriptions. ☐

2. Le présent peut servir à exprimer des vérités générales. ☐

3. On peut trouver des phrases au présent dans des textes au passé. ☐

4. Le présent peut servir à exprimer un événement répétitif, une habitude. ☐

5. Dans un texte au passé, le présent sert toujours à exprimer des vérités générales. ☐

6. Le présent peut évoquer des faits passés ou futurs, s'ils sont proches. ☐

13. Verbes à la loupe **Souligne en bleu les présents d'actualité, en rouge les présents de vérité générale et encadre les présents de description.**

1. En ce moment, je rentre chez moi.

2. L'hiver est la saison la plus froide.

3. Les vents sont plus mauvais dans le Pacifique.

4. Le chef des pirates possède cinq dents en or.

5. La femme du gouverneur a les cheveux blonds.

6. Nous regardons le matelot laver le pont.

14. Labo des mots **Complète le tableau.**

Phrases	Valeurs du présent
....	actualité
Il va courir chaque lundi.	....
Je pars dans cinq minutes.	....
Le vieillard porte la barbe jusqu'aux genoux.	....
....	vérité générale

12 L'imparfait de l'indicatif

J'observe

Le port était abrité par les terres et entouré de bois dont les arbres descendaient jusqu'à la limite des eaux; les côtes en général étaient plates, et les cimes des montagnes formaient à la ronde une sorte d'amphithéâtre.

D'après Robert Louis Stevenson, *L'Île au trésor*, traduction de Déodat Serval (1882).

Souligne les verbes conjugués.

Relève leurs terminaisons. ....

Appartiennent-ils tous au même groupe ? ....

Je retiens

A **LES TERMINAISONS DE L'IMPARFAIT**

• Pour tous les groupes, les terminaisons sont: **-ais, -ais, -ait, -ions, -iez, -aient**.
   je chantais, il finissait, vous disiez

B **QUEL EST LE RADICAL UTILISÉ?**

• On utilise le radical de la 1re personne du pluriel du présent. *je payais, je finissais, je faisais*

C **CAS PARTICULIERS**

• Le verbe ***être*** a pour radical ***ét-***.
   j'étais, tu étais, il était…

• Les verbes en ***-ger*** prennent un ***-e*** intercalaire, sauf aux 1re et 2e personnes du pluriel.
   je mangeais mais nous mangions

• Les verbes en ***-cer*** prennent une cédille, sauf aux 1re et 2e personnes du pluriel.
   je plaçais mais vous placiez

▶ Tableaux de conjugaison complets p. 126 à 128.

Je m'entraîne

1 Complète avec le ou les pronoms personnels qui conviennent.

   1. .... pleurait • .... saisissaient • .... allaient • .... prenait

   2. .... remarquions • .... sautait • .... croyiez • .... atteignions

   3. .... lançais • .... ignoriez • .... buvait • .... étais

Les terminaisons -ions et -iez s'ajoutent aussi aux radicaux qui se terminent par -y ou -i.

2 Complète avec les terminaisons de l'imparfait.

   1. il grandiss............... • je jou............... • il sav............... • il rêv............... • tu all...............

   2. nous donn............... • vous quitt............... • ils contempl............... • nous chant............... • elles rêv...............

   3. tu aim............... • vous cri............... • ils s'étonn............... • nous broy............... • il plaç...............

3 Complète le tableau.

Verbe	1ʳᵉ personne du pluriel présent	Radical	Imparfait
aller	nous	....	il ....
croire	nous	....	je ....
blanchir	nous	....	il ....
placer	nous	....	ils ....
rire	nous	....	vous ....

4 Conjugue à l'imparfait aux personnes demandées.

    1. offrir : tu .... • il .... • vous ....

    2. payer : je .... • nous .... • vous ....

    3. lacer : il .... • vous .... • ils ....

5 Transforme à l'imparfait.

    1. tu danses : .... • vous finissez : .... • elle loue : ....

    2. il prend : .... • je veux : .... • ils sont : ....

    3. il achète : .... • nous mangeons : .... • tu espères : ....

6 Dans chacune des phrases, souligne le ou les verbes conjugués et transforme à l'imparfait.

    1. Les brigands attaquent durant la nuit. ....

    2. Je ne vois pas souvent ma sœur parce qu'elle vit en Australie. ....

    ....

    3. Ils s'élancent et plongent dans la rivière. ....

7 **J'APPLIQUE** pour lire

> Le grand salon, le plus beau de tous ceux que possède le Palais-Neuf, faisait à ce cortège de hauts personnages et de femmes splendidement parées un cadre digne de leur magnificence. La riche voûte, avec ses dorures, adoucies déjà sous la patine du temps, était comme étoilée de points lumineux.
>
> Jules Verne, *Michel Strogoff* (1876).

a) Souligne en bleu les verbes à l'imparfait.

b) Encadre l'autre verbe conjugué du texte. À quel temps est-il ? ....

c) Conjugue-le entièrement à l'imparfait.

....

....

....

8 **J'APPLIQUE** pour écrire

Décris à l'imparfait un paysage ou un lieu que tu apprécies particulièrement.

Consigne
• 5 lignes
• 7 verbes à l'imparfait

Coche la couleur que tu as le mieux réussie.

☐ Relève de nouveaux défis ! ⟶ exercices 1, 2 p. 40
◼ Améliore tes performances ! ⟶ exercices 3, 4 p. 40
◼ Prouve que tu es un champion ! ⟶ exercice 5 p. 40

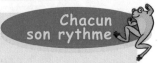

Chacun son rythme

13 Le passé simple de l'indicatif

J'observe

L'officier quitta le salon et entra dans la pièce voisine. C'était un cabinet de travail, très simplement meublé ; quelques tableaux se trouvaient au mur.

D'après Jules Verne, *Michel Strogoff* (1876).

Souligne les verbes à l'imparfait et encadre les autres verbes conjugués.

À quel temps sont-ils ? ....

Quelle est leur terminaison ? .... **À quel groupe appartiennent-ils ?** ....

Je retiens

A LES TERMINAISONS DU PASSÉ SIMPLE

Verbes	Terminaisons	Exemples
Verbes du 1er groupe + *aller*	**-ai, -as, -a, -âmes, -âtes, -èrent**	*je chantai, nous parlâmes, ils allèrent*
Verbes du 2e groupe + certains verbes du 3e groupe	**-is, -is, -it, -îmes, -îtes, -irent**	*je finis, il prit, vous dîtes*
Autres verbes du 3e groupe + *être* et *avoir*	**-us, -us, -ut, -ûmes, -ûtes, -urent**	*il voulut, vous fûtes, ils eurent*
tenir, venir et leurs composés	**-ins, -ins, -int, -înmes, -întes, -inrent**	*tu tins, il parvint, vous retîntes*

B QUEL EST LE RADICAL UTILISÉ ?

• Pour les **verbes des 1er et 2e groupes** : radical de l'infinitif. *il aima, vous finîtes*
• Pour les **verbes du 3e groupe** :
– le radical de l'infinitif. *il cueillit*
– ou un radical modifié. *je pris, il but, nous tînmes*

C CAS PARTICULIERS

• **Être** : *je fus, tu fus…* ; **avoir** : *j'eus, tu eus…* ; **faire** : *je fis, tu fis…* ; **voir** : *je vis, tu vis…*
• **Pouvoir** : *je pus, tu pus…* ; **savoir** : *je sus, tu sus…* ; **devoir** : *je dus, tu dus…* ; **falloir** : *il fallut* ; **valoir** : *il valut*.

▶ Tableaux de conjugaison complets p. 126 à 128.

Je m'entraîne

1 Complète ces verbes du 1er groupe avec les terminaisons du passé simple.

1. tu dans............ • il chant............ • vous cri............ • tu vol............ • nous appel............

2. il agit............ • vous protest............ • je jou............ • tu te moqu............ • je nettoy............

3. elles contest............ • je colori............ • nous lav............ • ils aim............ • il rêv............

2 Conjugue les verbes au passé simple à la personne indiquée.

☐ **1.** je (rougir) .... • il (obéir) .... • tu (sentir) .... • elle (choisir) ....

◻ **2.** vous (surgir) .... • tu (croire) .... • elle (voir) .... • elles (courir) ....

◼ **3.** nous (rire) .... • tu (retenir) .... • elles (vaincre) .... • tu (écrire) ....

3 Relie chaque verbe à son infinitif et au temps auquel il est conjugué.

1. je crie •   • tenir •

2. je crus •   • prier •

3. tu vins •   • vaincre •   • présent

4. il vainc •   • crier •

5. il tint •   • prendre •

6. tu teins •   • croire •   • passé simple

7. je prie •   • venir •

8. il prit •   • teindre •

4 Transforme au passé simple.

☐ **1.** il chante : .... • nous bénissons : .... • ils ravissent : ....

◻ **2.** elle finit : .... • je suis : .... • je ris : ....

◼ **3.** ils peignent : .... • nous savons : .... • vous voyez : ....

5 Mets ces phrases au passé simple.

☐ **1.** Je choisissais encore quelques fruits et finissais mes courses.

....

◻ **2.** Vous déplaciez les meubles et changiez le sens du canapé.

....

Devant les terminaisons en -*a*, les verbes en -*ger* prennent un *e* et les verbes en -*cer*, une **cédille**.

◼ **3.** Ils construisaient eux-mêmes leur maison parce qu'ils ne voulaient pas payer de maçon.

....

6 **J'APPLIQUE** pour lire

La lettre libellée, le tsar la relut avec une extrême attention, puis il la signa, après avoir fait précéder son nom de ces mots : « Byt po sémou » qui ⃞signifient⃞ : « Ainsi soit-il » et ⃞constituent⃞ la formule sacramentelle des empereurs de Russie.

Jules Verne, *Michel Strogoff* (1876).

a) Souligne en bleu les verbes au passé simple. À quelle personne sont-ils conjugués ? ....

....

b) À quel temps les verbes encadrés sont-ils ?

....

c) Transpose-les au passé simple. ....

....

7 **J'APPLIQUE** pour écrire

Tu as un jour reçu une lettre qui t'a bouleversé(e). Raconte ce qu'elle contenait puis analyse ce que tu as ressenti.

Consigne
• 5 lignes
• 8 verbes au passé simple

Chacun son rythme

Coche la couleur que tu as le mieux réussie.

☐ Relève de nouveaux défis ! ⟶ exercices 6, 7 p. 40

◻ Améliore tes performances ! ⟶ exercices 8 p. 40 et 9 p. 41

◼ Prouve que tu es un champion ! ⟶ exercices 10, 11 p. 41

14 L'emploi de l'imparfait et du passé simple dans un récit

Tandis qu'il demeurait absolument immobile, le tsar le fixa quelques instants puis lui adressa la parole.

D'après Jules Verne, *Michel Strogoff* (1876).

Souligne le verbe à l'imparfait et encadre les verbes au passé simple.

Quel temps s'applique aux actions successives du tsar ? ....

Je retiens

Dans un récit au passé, le passé simple et l'imparfait **s'utilisent en alternance** car leurs **emplois** sont **complémentaires**.

 A QUAND UTILISER LE PASSÉ SIMPLE ?

Le passé simple s'emploie pour :
- les **actions uniques** dans le récit (actions de **premier plan**), brèves et souvent successives.
  Il prit son manteau, claqua la porte et descendit en courant l'escalier.
- les **actions datées**. *Ce jour-là, je me cassai la jambe.*
- les **actions limitées**, dont la durée est connue. *Ils restèrent absents dix ans.*

 B QUAND UTILISER L'IMPARFAIT ?

L'imparfait s'emploie pour :
- les **actions qui servent de cadre à l'action principale** dans le récit (actions d'**arrière-plan**).
  Elle travaillait, elle sursauta quand le téléphone sonna.
- les **actions dont la durée reste indéterminée**. *Nous lisions Michel Strogoff.*
- les **descriptions**. *La campagne s'étendait à perte de vue.*
- les **actions qui se répètent**, les habitudes. *Tous les lundis, il se levait à 7h00.*

▶ Tableaux de conjugaison complets p. 126 à 128.

Je m'entraîne

1 Indique l'emploi des passés simples : premier plan, action datée, action limitée dans le temps.

1. Il déchira l'enveloppe, sortit la fine feuille de papier et la déplia en toute hâte. ....

2. Le 12 octobre 1492, Christophe Colomb découvrit l'Amérique. ....

3. Paul tapa des pieds et se mit à crier ; la gifle partit. ....

4. Nous marchâmes trois jours durant. ....

5. À 5h10, il arriva sur la place. ....

6. Vous courûtes pendant une heure. ....

2 Indique quel est l'emploi des imparfaits en gras : arrière-plan, durée indéterminée, description, habitude.

1. Tandis que le gâteau **cuisait**, Marie prépara une salade de fruits. _____

2. Tous les lundis, vous **alliez** à l'athlétisme. _____

3. Les feuilles **jaunissaient**, l'air **était** humide. _____

4. Nous **attendions** sur le canapé, tu entras alors. _____

5. Il ne **faisait** pas son âge et **portait** des vêtements à la mode. _____

6. Le temps **était** maussade. Je **rangeais**. _____

3 Classe les verbes en gras dans la bonne colonne.

1. Le joueur **attrapa** le ballon au vol, **remonta** le terrain et **marqua** le premier essai du match.

2. Nous **rêvassions** lorsque le professeur **frappa** violemment sur notre table.

3. Je **dormis** presque une heure. La nuit **était** sombre.

Imparfait d'arrière-plan	Imparfait de description	Passé simple de premier plan	Passé simple d'action limitée dans le temps
....	....	....	....
....	....	....	....

4 Complète les phrases suivantes en utilisant l'imparfait ou le passé simple.

1. Chaque soir, ma fille S'ENDORMIR _____ en serrant son doudou.

2. Il COURIR _____, JETER _____ son tee-shirt au loin et SAUTER _____ à l'eau.

3. Les acteurs FINIR _____ le premier acte quand un grand bruit RETENTIR _____ dans la salle.

5 **J'APPLIQUE** pour lire

> Il montait déjà l'échelle du gaillard d'avant, lorsqu'il entendit parler près de lui. Il s'arrêta. Les voix semblaient venir d'un groupe de passagers, enveloppés de châles et de couvertures […]. Michel Strogoff allait passer outre lorsqu'il entendit plus distinctement certaines paroles.
>
> Jules Verne, *Michel Strogoff* (1876).

a) **Souligne les verbes à l'imparfait.**

b) **Relève un imparfait d'arrière-plan et un imparfait de description.** _____
_____

c) **Encadre les verbes au passé simple. Quel est leur emploi ?** _____
_____

6 **J'APPLIQUE** pour écrire

Tu as aussi surpris un jour une conversation te concernant. De quoi s'agissait-il et comment as-tu réagi ?

Consigne
• 5 lignes
• 5 verbes à l'imparfait
• 5 verbes au passé simple

Coche la couleur que tu as le mieux réussie.

☐ Relève de nouveaux défis ! ➔ exercices 12, 13 p. 41
▨ Améliore tes performances ! ➔ exercice 14 p. 41
▨ Prouve que tu es un champion ! ➔ exercice 15 p. 41

Chacun son rythme

L'imparfait de l'indicatif

■ **1.** Chasse aux intrus **Barre les verbes qui ne sont pas conjugués à l'imparfait.**

il chantait • nous crions • elles buvaient • je rêvai • tu choisissais • vous croyiez • tu t'asseyais • vous payez

■ **2.** Quiz **Coche les phrases vraies.**

À l'imparfait:

☐ les terminaisons sont les mêmes
pour tous les groupes.

☐ on rencontre parfois deux *i* l'un à côté de l'autre.

☐ le radical est celui de la 1re personne du singulier du présent.

☐ les verbes en -*cer* prennent une cédille à toutes les personnes.

■ **3.** Casse-tête **Barre tous les verbes à l'imparfait. Tu trouveras une devinette que tu devras résoudre.**

parlaitqueditunifiaientuncuifinissions pensaissini mangionserquandsongeaisilsoutondiezpçonner amaitquelquesautaientchose?

Devinette: ....

....

Réponse: ....

■ **4.** Mots mêlés **Retrouve les six imparfaits cachés dans cette grille.**

A	I	M	A	I	S
V	L	I	A	I	T
I	E	L	A	I	T
O	R	N	I	E	Z
N	A	G	I	E	Z
S	C	I	E	Z	

■ **5.** Lettres mêlées **Remets en ordre les lettres de ces verbes à l'infinitif puis conjugue-les à l'imparfait dans les phrases.**

1. EERT: ....

Nous .... malades depuis une semaine.

2. ALCREDEP: ....

Ils .... les meubles pour trouver le meilleur agencement.

3. GRANEEDM: ....

Cette piqûre de moustique me .... horriblement.

Le passé simple de l'indicatif

■ **6.** Quiz **Coche les phrases vraies.**

Au passé simple:

☐ Les terminaisons du 1er groupe sont -ai, -as, -a, -âmes, -âtes, -èrent.

☐ Il y a cinq sortes de terminaisons.

☐ Il y a toujours un accent circonflexe aux 1re et 2e personnes du pluriel.

☐ Les verbes du 2e groupe se conjuguent comme au présent.

■ **7.** Méli-mélo **Rends à chaque verbe sa terminaison pour former un passé simple.**

je chois... •   • îmes
il dans... •   • vèrent
nous pr... •   • is
elles rêv... •   • ai
tu l... •   • a
vous pal... •   • it
il offr... •   • us
je donn... •   • îtes

■ **8.** Chasse à l'intrus **Barre les verbes qui ne sont pas conjugués au passé simple.**

je plaçais • elles creusèrent • il construit • ils aèrent • nous prîmes • vous crûtes • il finit • tu vins • je ferai

9. *Devinette* **Barre tous les verbes au passé simple pour trouver l'énoncé d'une devinette que tu devras résoudre.**

Vintqu'estpritchantaallèrentcepalisvîtesretinrentquefrisai
duchoisitcalaécrivisbutcimentchantâtesplutmoisirentvî
mesdansvolaunbroyaidéfirentcueillispotmouruprévint

Devinette: ....

Réponse: ....

10. *Chasse à l'intrus* **Barre les formes verbales qui n'existent pas.**

je donna • Il fendit • tu crus • nous voyâmes • ils
dormirent • elle osa • je fis • vous rîtes • elles croyèrent

11. *Range-verbes* **Classe ces infinitifs par leur numéro au bon endroit.**

1. saisir	8. asseoir
2. recevoir	9. joindre
3. venir	10. résoudre
4. mettre	11. soutenir
5. tendre	12. grandir
6. croire	13. lire
7. maintenir	14. vivre

Passé simple en –ins, –ins...	Passé simple en –is, –is...	Passé simple en –us, –us...
....	....	....

L'emploi de l'imparfait et du passé simple dans un récit

12. *Verbes à la loupe* **Souligne en bleu les imparfaits d'arrière-plan et en rouge les imparfaits d'habitude.**

1. Tous les ans, nous les retrouvions au bord de la mer.

2. Tu marchais dans la forêt ; l'écureuil apparut au bout du chemin.

3. Elle rencontra son futur époux quand elle achetait un nouveau lave-linge.

4. À midi, nous déjeunions toujours au restaurant indien.

13. *Vrai ou faux* **Coche la bonne réponse.**

	Vrai	Faux
L'imparfait s'utilise pour les descriptions.	☐	☐
Le passé simple s'utilise pour des faits non limités dans le temps.	☐	☐
Pour évoquer des actions qui se succèdent, on utilise le passé simple.	☐	☐
Le passé simple et l'imparfait sont complémentaires dans un récit.	☐	☐

14. *Labo des mots* **Complète le tableau.**

Phrases	Valeur de l'imparfait	Valeur du passé simple
....	arrière-plan	premier plan
....		
....		
....		
Il revêtit son pardessus ; celui-ci était beige et très cintré.	....	....
L'an dernier, ils visitèrent la Norvège.	....	....

15. *Méli-mélo* **Complète les phrases avec le verbe de la liste qui convient.**

ÉCLATA   ÉCLATAIT   CORRIGEA   CORRIGEAIT
COUVRIRENT   COUVRAIENT

1. Tout l'après-midi, il .... des copies.

2. Il .... des copies chaque samedi.

3. Il .... déjà en sanglots lorsqu'il comprit qu'il n'était finalement pas éliminé.

4. La Première Guerre mondiale .... en juillet 1914.

5. Des tuiles rouges .... les toitures.

6. Ils soignèrent et .... les blessés.

15 Le futur simple de l'indicatif et le présent du conditionnel

J'observe

> Le chien *attendra* son maître aussi longtemps qu'il le *faudra*. Il ne *mangera* pas, il ne *bougera* pas avant son retour.

Les verbes en italique ont-ils tous la même terminaison ? ....

Pour certains de ces verbes le radical correspond à l'infinitif. Lesquels ? ....

À quel groupe appartiennent-ils ? ....

Je retiens

 A COMMENT FORMER LE FUTUR SIMPLE DE L'INDICATIF ?

- Les **terminaisons** du futur simple pour **tous les verbes** sont : **-ai, -as, -a, -ons, -ez, -ont**.

  j'aimerai, tu finiras, il s'accrochera

- Le radical du futur simple est l'**infinitif du verbe** pour tous les verbes des 1er et 2e groupes et pour une partie des verbes du 3e groupe. *je finirai*

- Pour les **verbes en -re** du 3e groupe, on **enlève le -e final** de l'infinitif avant d'y ajouter les terminaisons.

  comprendre ➔ *je comprendr-ai*, *apprendre* ➔ *il apprendr-a*, *cuire* ➔ *nous cuir-ons*

- D'autres verbes du 3e groupe ont des radicaux **irréguliers**.

  aller ➔ *j'ir-ai*, *avoir* ➔ *j'aur-ai*, *être* ➔ *je ser-ai*, *savoir* ➔ *je saur-ai*, *vouloir* ➔ *je voudr-ai*, *venir* ➔ *je viendr-ai*, *tenir* ➔ *je tiendr-ai*, *faire* ➔ *je fer-ai*, *falloir* ➔ *il faudr-a*

- Pour certains verbes, le radical se termine par **deux r**.

  pouvoir ➔ *je pourr-ai*, *voir* ➔ *je verr-ai*, *envoyer* ➔ *j'enverr-ai*, *courir* ➔ *je courr-ai*, *mourir* ➔ *je mourr-ai*, *conquérir* ➔ *je conquerr-ai*

 B COMMENT FORMER LE PRÉSENT DU CONDITIONNEL ?

- On utilise le **même radical** qu'au futur.

- Les **terminaisons** sont celles de l'**imparfait** : **-ais, -ais, -ait, -ions, -iez, -aient**.

  j'aimerais, tu finirais, il apprendrait, nous irions, vous seriez, ils courraient

▶ Tableaux de conjugaison complets p. 126 à 128.

Je m'entraîne

1 Observe les formes suivantes : indique le temps.

1. tu joueras : .... • tu jouerais : .... • j'arriverais : ....

2. il comprendrait : .... • nous apprendrons : .... • vous tendriez : ....

3. nous serions : .... • vous conquerriez : .... • je tiendrai : ....

2 Trouve l'infinitif de ces verbes, transpose-les au futur, puis au conditionnel.

	Infinitif	Futur	Conditionnel
tu laisses	....	tu	tu ....
il part	....	il	il ....
vous prenez	....	vous	vous ....
ils cuisent	....	ils	ils ....
nous finissions	....	nous	nous ....
je croyais	....	je	je ....

3 Transpose du présent au futur.

> *Pour les verbes en -yer, le -y- devient -i- à **toutes les personnes**.*

1. je pense : .... • elle sent : ....

2. il surprend : .... • nous rions : ....

3. j'espère : .... • nous nettoyons : ....

4 Transpose du présent de l'indicatif au présent du conditionnel.

1. nous lançons : .... • il ment : ....

2. nous tenons : .... • elles prennent : ....

3. vous envoyez : .... • tu appelles : ....

5 Souligne en vert les verbes au futur, en rouge les verbes au conditionnel et en bleu les verbes au présent ou à l'imparfait.

1. nous croyons • je trierai • ils apportaient • nous croirons • tu expliquerais • tu expliquais

2. nous démolirons • il opérait • je gratterais • ils seront • ils sèmeront • tu détruis

3. il courait • je mourrai • il aura • tu vendais • vous saurez • j'enverrais

6 **J'APPLIQUE** pour lire

Un jour, elle l'entraîna dans une longue course à travers prés et bois. Le maître, guéri, devait cet après-midi monter à cheval. Croc-Blanc ne l'ignorait pas. Le cheval attendait, tout sellé, à la porte de la maison. Croc-Blanc hésita tout d'abord, mais un sentiment le dominait [...]. Et, lorsqu'il vit Collie qui le mordillait et folâtrait devant lui, la balance pencha vers elle. Il tourna le dos et la suivit. Le maître se promena seul ce jour-là.

Jack London, *Croc-Blanc*, traduction de Louis Postif et Paul Gruyer (1906).

Réécris les verbes de ce texte au futur.

....

....

....

....

....

....

....

....

7 **J'APPLIQUE** pour écrire

Si tu partais dans le Grand Nord, quelles aventures vivrais-tu ? Imagine ce que tu pourrais faire et voir là-bas.

Consigne
• 10 lignes
• 6 verbes au futur

Coche la couleur que tu as le mieux réussie.

☐ Relève de nouveaux défis ! ⟶ exercices 1, 2 p. 48
☐ Améliore tes performances ! ⟶ exercices 3, 4 p. 48
☐ Prouve que tu es un champion ! ⟶ exercices 5, 6 p. 48

Chacun son rythme

16 Le subjonctif présent

Je ne crois pas que la nuit *tombe*. J'aimerais que le jour ne *finisse* pas. Il ne faut pas que la lumière *disparaisse*.

À quels groupes les verbes en italique appartiennent-ils ? ....

....

Quelle est la terminaison commune à tous ces verbes ? ....

Je retiens

A COMMENT FORME-T-ON LE SUBJONCTIF ?

- Pour tous les groupes, les terminaisons sont : **-e**, **-es**, **-e**, **-ions**, **-iez**, **-ent**.
- Le radical est celui de la **3ᵉ personne du pluriel** du **présent de l'indicatif**.

    *que je dis**e**, que tu dis**es**, qu'il dis**e**, que nous dis**ions**, que vous dis**iez**, qu'ils dis**ent***

- La forme conjuguée est toujours **précédée de *que*.** *que je dise, qu'il vienne*

Remarques :

– Les verbes dont le radical est en -*i*- ou -*y*- prennent deux *i* ou *yi* aux 1ʳᵉ et 2ᵉ personnes du pluriel. *Que nous riions, que vous essayiez*

– Pour certains verbes, seule l'orthographe différencie au singulier le présent de l'indicatif et du subjonctif. *je crois* (indicatif), *que je croie* (subjonctif)

B VERBES À RADICAUX IRRÉGULIERS

- ***Pouvoir*** : *que je puisse…*, ***vouloir*** : *que je veuille…*, ***savoir*** : *que je sache…*, ***faire*** : *que je fasse…*
- ***Aller*** : *que j'aille, que tu ailles, qu'il aille, que nous allions, que vous alliez, qu'ils aillent.*
- ***Valoir*** : *que je vaille, que tu vailles, qu'il vaille, que nous valions, que vous valiez, qu'ils vaillent.*

C VERBES IRRÉGULIERS (RADICAL ET TERMINAISONS IRRÉGULIÈRES)

- ***Être*** : *que je sois, que tu sois, qu'il soit, que nous soyons, que vous soyez, qu'ils soient.*
- ***Avoir*** : *que j'aie, que tu aies, qu'il ait, que nous ayons, que vous ayez, qu'ils aient.*

▶ Tableaux de conjugaison complets p. 126 à 128.

Je m'entraîne

1 Ajoute la terminaison des verbes suivants.

1. que j'attrap .... • que tu finiss .... • qu'il prenn ....

2. que nous laiss .... • que vous grandiss .... • qu'ils cour ....

3. que tu cri .... • que nous ri .... • que vous pri ....

2 Conjugue au subjonctif présent à toutes les personnes.

jouer	saisir	partir	faire

3 Transpose les formes suivantes du présent de l'indicatif au présent du subjonctif.

◼ **1.** il chante : qu'il .... • nous chantons : que nous ....

◼ **2.** elle met : qu'elle .... • vous essayez : que vous ....

◼ **3.** tu vois : que tu .... • vous voyez : que vous ....

◼ **4.** je ris : que je .... • nous rions : que nous ....

◼ **5.** elle voit : qu'elle .... • tu cours : que tu ....

◼ **6.** tu crois : que tu .... • vous croyez : que vous ....

> Les différences de radical à l'indicatif présent se conservent au subjonctif présent.

4 Conjugue les verbes au subjonctif à la personne demandée.

◼ **1.** pouvoir (2ᵉ personne du singulier) : .... • vouloir (3ᵉ personne du singulier) : ....
savoir (1ʳᵉ personne du pluriel) : .... • faire (3ᵉ personne du pluriel) : ....

◼ **2.** aller (2ᵉ personne du singulier) : .... • valoir (3ᵉ personne du singulier) : ....
aller (1ʳᵉ personne du pluriel) : .... • valoir (2ᵉ personne du pluriel) : ....

◼ **3.** être (1ʳᵉ personne du singulier) : .... • avoir (3ᵉ personne du singulier) : ....
être (1ʳᵉ personne du pluriel) : .... • avoir (2ᵉ personne du pluriel) : ....

5 🐸 **J'APPLIQUE** pour lire

Je voudrais bien aussi que ce froid soit coupé net. Nous avons eu 50° sous zéro depuis deux semaines. [...] Je n'aime pas la tournure [que] prend l'expédition. Ça cloche, je le sens. Mais, puisqu'elle est entamée, qu'elle se termine au plus vite et qu'il n'en soit plus question ! Heureux le jour où, toi et moi, nous nous retrouverons au Fort M'Gurry, tranquillement assis auprès du feu et jouant aux cartes. Voilà mes souhaits !

Jack London, *Croc-Blanc*,
traduction de Louis Postif et Paul Gruyer (1906).

Souligne les verbes au subjonctif dans ce texte.

6 🐸 **J'APPLIQUE** pour écrire

Si tu pouvais décider du temps qu'il fait, à quoi le climat ressemblerait-il ?

Consigne
• 10 lignes
• 4 phrases commençant par *j'aimerais que, je voudrais que, je souhaiterais que, il faudrait que...*

Coche la couleur que tu as le mieux réussie.

☐ Relève de nouveaux défis ! ⟶ exercices 7 p. 48 et 8 p. 49
◼ Améliore tes performances ! ⟶ exercice 9 p. 49
◼ Prouve que tu es un champion ! ⟶ exercice 10 p. 49

Chacun son rythme

17 L'emploi des modes

J'observe

Pourvu qu'il *aille* bien !
Nous *sortirions* s'il faisait meilleur.

À quels modes les deux verbes en italique sont-ils ? ....

Expriment-ils des actions qui se sont réellement passées ? ....

Je retiens

 A QUELS SONT LES EMPLOIS DE L'INDICATIF?

- C'est le mode **le plus utilisé**. On l'utilise pour **décrire des faits réels**.
- On l'emploie pour **décrire** ou **raconter**. *Il pleut. Il est venu hier.*

B QUELS SONT LES EMPLOIS DU SUBJONCTIF?

- Le subjonctif présente des **faits qui ne sont pas réels et qui relèvent** de la **volonté**, d'un **souhait**, d'un **sentiment**, d'une **supposition**, d'une **possibilité**.
- On le rencontre :

– Dans une **phrase simple**, pour exprimer un **ordre à la 3ᵉ personne du singulier** (qui n'existe pas à l'impératif) ou un **souhait**.

> *Qu'il **passe** me rendre visite. Pourvu **qu'il** ne **soit** pas blessé.*

– **Après la conjonction** *que*, lorsque le verbe qui précède exprime un **souhait**, une **obligation**, un **sentiment**, une **crainte**…

> *Je **crains qu'il** ne **fasse** froid.*

– Ou **après des conjonctions** : *pour que, afin que, bien que, avant que, jusqu'à ce que*…

> *Venez **avant qu'**il ne **soit** trop tard.*

 C QUELS SONT LES EMPLOIS DU CONDITIONNEL?

- Le **futur dans le passé** : le conditionnel remplace le futur dans les textes au passé.

> *Je **pense** qu'il **viendra**.* ➝ *Je **pensais** qu'il **viendrait**.*

- L'ordre ou l'**affirmation atténuée**, l'**information non confirmée**.

> ***Voudrais**-tu lui rendre visite ? Nous **pourrions** venir vers 16 h 00. Ils **arriveraient** demain.*

- Une **situation imaginaire** ou une **action soumise à condition**.

> *Tu **serais** le voleur et moi le policier. **S'il** ne **pleuvait pas**, nous nous **promènerions**.*

Je m'entraîne

1 Indique le mode de ces phrases simples et justifie son emploi.

1. Il finit son repas. *indicatif*   • Pourvu qu'il gagne ! *subjonctif*

2. Elle est partie avant toi. *indicatif*   • Qu'il ne s'attarde pas en chemin ! *conditionnel*

3. Vivement que le printemps arrive ! *subjonctif*   • Qu'il arrête ses bêtises ! *subjonctif*

2 Indique le mode de ces propositions introduites par *que* et justifie-le.

◻ **1.** Je sais qu'il n'est pas encore rentré. ....

◼ **2.** Je crains qu'il ne soit en retard. ....

◼ **3.** Il est indispensable que tout le monde soit là. ....

3 Indique si les verbes en gras sont à l'indicatif ou au subjonctif.

◻ **1.** Il vient lorsque tu l'**appelles**. *indicatif*

◼ **2.** Dépêchons-nous avant que l'orage n'**éclate**. *subjonctif*

◼ **3.** Il s'approche afin qu'on l'**admire**. *subjonctif*

> Si tu hésites, **remplace** le verbe par *pouvoir* (*peut* = indicatif, *puisse* = subjonctif).

4 Relie ces phrases à l'emploi correspondant du conditionnel.

◻ **1.** Je volerais comme un oiseau.

◻ **2.** Tu pourrais ranger un peu.

◼ **3.** Je viendrais s'il faisait meilleur.

◻ **4.** La vitesse serait la cause de l'accident.

◼ **5.** Sans toi je ne réussirais pas.

◼ **6.** Je boirais volontiers un café.

• Action soumise à une condition

• Information non confirmée

• Affirmation atténuée

• Fait imaginaire

5 Réécris les phrases en mettant le verbe en gras à l'imparfait.

◻ **1.** Il **croit** qu'elle sera là à 8 h 00. *Il croyait qu'elle sera là à 8:00.*

◼ **2.** J'**espère** que tout ira bien. *J'espérerais*

◼ **3.** Elle **affirme** que j'arriverai la première. *Elle affirmait*

6 **J'APPLIQUE** pour lire

– Que veux-tu que je fasse d'un loup en Californie? répondit Scott.
– C'est bien ce que je dis, opina Matt, si vous emmeniez Croc-Blanc là-bas qu'en feriez-vous?
– Les chiens des hommes blancs n'en mèneraient pas large, poursuivit Scott. Il les tuerait tous, sitôt débarqué. Je me ruinerais à payer des dommages-intérêts. À moins que la police ne **mette** aussitôt la main dessus.

Jack London, *Croc-Blanc*,
traduction de Louis Postif et Paul Gruyer (1906).

a) Relève un verbe au subjonctif dans la première phrase et justifie son emploi.
"veux" emploi ....

b) Souligne les verbes au conditionnel dans ce texte et justifie leur emploi. ....

c) À quel mode le verbe en gras est-il? Pourquoi? ....

7 **J'APPLIQUE** pour écrire

À ton tour, imagine ce qui se passerait si tu adoptais un animal sauvage et l'amenais chez toi.

> **Consigne**
> • 10 lignes
> • 5 verbes au conditionnel
> • 2 verbes au subjonctif

Chacun son rythme

Coche la couleur que tu as le mieux réussie.

◻ Relève de nouveaux défis! ⟶ exercices 11, 12 p. 49
◼ Améliore tes performances! ⟶ exercice 13 p. 49
◼ Prouve que tu es un champion! ⟶ exercice 14 p. 49

Chacun son rythme

Le futur simple de l'indicatif et le présent du conditionnel

1. *Chasse à l'intrus* **Dans chaque liste, barre l'intrus et justifie ton choix.**

1. fera • iras • écouterons • pourriez • aimerai

L'intrus est _____, les autres verbes _____.

2. serais • verraient • chanterai • lirions

L'intrus est _____, les autres verbes _____.

3. ouvrait • oserais • espérait • prenais

L'intrus est _____, les autres verbes

_____.

2. *Quiz* **Coche les phrases vraies.**

1. Au futur, les terminaisons sont:
-ai, -as, -a, -ons, -ez, ont. ☐

2. Le futur et le conditionnel présent
ont les mêmes terminaisons. ☐

3. Le futur et le conditionnel ont le même radical. ☐

4. Les terminaisons de l'imparfait ressemblent
à celles du conditionnel. ☐

3. *Verbes à la loupe* **Souligne en rouge les verbes au conditionnel et en bleu les verbes au futur.**

- j'aurai
- tu feras
- il viendrait
- nous voudrions
- elles aimeraient
- vous sèmerez
- tu serais
- je prendrais
- il ira
- nous pourrons
- vous finiriez
- elle souhaiterait

4. *Lettres mêlées* **Remets les lettres en ordre pour retrouver les verbes au futur ou au conditionnel. Puis encadre les futurs et souligne les conditionnels.**

1. Tu n'`SNTREAEDN` _____ rien ici.

2. Je `SIRVRATAER` _____ le monde pour
le rencontrer.

3. Nous `SNAVYOERSG` _____ par le train.

4. Ils `TREORIDMANR` _____ bien toute la journée.

5. *Pyramide* **Pour compléter la pyramide, trouve les verbes correspondant aux définitions puis conjugue-les aux temps et personne indiqués.**

1. Exister: futur, 3e personne du singulier

2. Posséder: futur, 1re personne du singulierl

3. S'échapper: futur, 2e personne du singulier

4. Assembler: conditionnel, 1re personne du singulier

5. Se déplacer dans l'eau: conditionnel, 3e personne du singulier

6. Contraire de commencer: conditionnel, 1re personne du pluriel

7. Contraire de pousser: conditionnel, 3e personne du pluriel

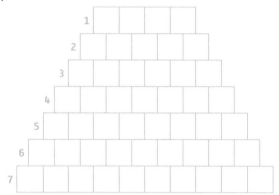

6. *Charade* **Après avoir trouvé la réponse, indique le temps et le mode du verbe.**

Mon premier est la première lettre de l'alphabet.

Dans mon second les vaches aiment manger.

Mon troisième permet de couper du bois.

Mon quatrième est une note de musique.

Mon tout te permettra de compléter la phrase.

Vous _____ sûrement son cadeau.

Temps et mode : _____

Le subjonctif présent

7. *Chasse à l'intrus* **Barre les verbes qui ne peuvent pas être au subjonctif présent Attention,** *que* **n'est pas exprimé.**

je chante • il vient • nous appelons • elle finisse • elle croie • tu viennes • tu prends • vous étiez • vous finissez • tu essaies • elles prennent • nous ayons • il rie • elle rit

8. Quiz Coche les phrases vraies.

Au subjonctif présent :

☐ Tous les verbes ont les mêmes terminaisons.

☐ Les terminaisons varient selon les groupes.

☐ Les 1re et 2e personnes du pluriel ont leurs terminaisons en -ions et -iez.

☐ Le radical est toujours le même qu'au présent de l'indicatif.

9. Grille Sept verbes à l'infinitif sont dissimulés dans cette grille. Trouve-les puis conjugue-les à la 1re personne du singulier et du pluriel du subjonctif présent.

V	O	I	R	G	H
I	F	G	H	T	R
V	E	N	I	R	I
R	O	U	G	I	R
E	L	I	R	E	E
R	E	C	A	R	T

1. ....
2. ....
3. ....
4. ....
5. ....
6. ....
7. ....

10. Lettres mêlées Remets les lettres en ordre pour trouver un verbe à l'infinitif, puis conjugue ce verbe au subjonctif pour l'intégrer dans la phrase.

1. **IRLVATLAER** : .... ➜ Il ne faut pas que tu
.... tant.

2. **RAIOSV** : .... ➜ Pourvu qu'il ne ....
pas la vérité.

3. **VIEOERCR** : .... ➜ J'aimerais bien qu'il
.... vite mon message.

Les emplois des modes

11. Quiz Coche les phrases vraies.

1. Le subjonctif exprime des faits réels ☐

2. Le subjonctif peut exprimer un ordre ou un souhait. ☐

3. Le conditionnel présent peut exprimer
un fait imaginaire ou incertain. ☐

4. Le conditionnel présent s'utilise
dans les textes au présent. ☐

12. Range-phrases Classe ces phrases dans la bonne colonne.

1. Pourvu qu'il arrive vite !

2. Qu'il entre sans frapper.

3. Vivement que les vacances arrivent.

4. Qu'ils ne soient pas en retard !

Souhait	Ordre
....	....
....	....

13. Vrai ou faux Barre la valeur qui ne correspond pas au verbe en gras.

1. Il **serait** actuellement en vacances.

information non confirmée / fait imaginaire

2. Nous nous **reposerions** sous des palmiers sur une plage de sable fin.

affirmation atténuée / fait imaginaire

3. Si nous avions plus de temps, nous **visiterions** la ville.

action soumise à une condition / information non confirmée

4. Nous pensions qu'il **arriverait** plus tard.

fait imaginaire / futur dans le passé

14. Labo des phrases Complète le tableau.

Phrases	Mode	Valeur
Qu'il n'arrive pas trop tard.	....	....
....	conditionnel	information non confirmée
Il croyait qu'on l'applaudirait.	....	....

18 La formation des participes passés

J'ai beaucoup **aimé** le roman écrit par M. Tournier, *Vendredi ou la Vie sauvage*; il m'a <u>ébloui</u>!

Quelle est la terminaison du verbe en gras ? .... **À quel groupe appartient-il ?** ....

Quelle est la terminaison du verbe souligné ? .... **À quel groupe appartient-il ?** ....

Remplace *roman* par *histoire*. Quelle autre modification dois-tu faire ? ....

Je retiens

A QU'EST-CE QU'UN PARTICIPE PASSÉ?

• Le **participe passé** est un **mode impersonnel** du verbe. Il ne se conjugue pas mais peut varier en genre et en nombre. *donné / donnée / donnés / données*

• **Accompagné d'un auxiliaire**, il permet de **former les temps composés**. *il a navigué, il est attrapé*

• Il peut être employé comme **adjectif** pour qualifier un nom.

   Ma petite sœur, épuisée, s'endort très vite.

B COMMENT FORMER LE PARTICIPE PASSÉ?

• Verbes du 1er groupe: radical de l'infinitif + *-é*. *chanté, joué, inventé*

• Verbes du 2e groupe: radical de l'infinitif + *-i*. *fini, rougi, choisi*

• Verbes du 3e groupe: radical de l'infinitif ou radical modifié

   -i / -is / -it: ri, dormi, appris, dit…

   -u: pu, vu, su, fallu…

   -s: enclos…

   -t: peint, souffert, fait, mort…

• Pour connaître la terminaison, mets le participe passé au féminin!

   Elle est prise. → pris
   La pâte est cuite. → cuit

C CAS PARTICULIERS

• *Avoir*: eu; *être*: été (**invariable**); *mourir*: mort; *naître*: né; *devoir*: dû (mais *due, dus* et *dues*).

Je m'entraîne

1 Forme les participes passés des verbes suivants.

 donner: *donné* • rétrécir: *rétréci* • faiblir: *faibli* • essayer: *essayé* • associer: *associé*

 vouloir: *voulu* • aller: *allé* • être: *été* • lire: *lu* • avoir: *~*

savoir: *savu* • croire: *crut* • naître: • devoir: *dû* • pouvoir:

2 Mets les verbes au participe passé et classe-les dans la bonne colonne.

■ **1.** finir • voir • faire • choisir

■ **2.** peindre • recevoir • répondre • joindre

■ **3.** offrir • rire • lire • dormir

> Les verbes en -*c*- qui ont un participe passé en -*u* prennent une **cédille**.

Participes en -u	Participes en -i	Participes en -t
vu ; reçu ; répondu ; lu	choisi ; offri ; dormi	fini ; fait ; peint ; rit

3 Après être passé par le féminin, complète la terminaison du participe passé.

■ **1.** éteindre : une lumière étein _te_ → étein **t** • clore : une porte clo _se_ → clo **s**

■ **2.** mettre : une robe mi _se_ → mi _s_ • écrire : une lettre écri _te_ → écri **t**

■ **3.** recevoir : une lettre reçu _e_ → reçu • inclure : une taxe inclu _e_ → inclu

4 Donne toutes les variations en genre et en nombre des participes passés suivants.

■ **1.** aimé : _aimé ; aimée ; aimées ; aimés_ • chéri : _chéri ; chéries ; chérie ; chéris_

■ **2.** couvert : _couvert ; couverte ; couverts_ • ému : _ému ; ému ; émue ; émus_

■ **3.** dû : _du ; dus ; dues ; due_ • été : _été ; été ; été ; été_

5 Complète les phrases avec les participes passés manquants.

■ **1.** Mon nouveau manteau, (acheter) _acheté_ au marché, est très beau.

■ **2.** (Saisir) _Saisi_ par la police, ils ne se sont pas débattus.

■ **3.** Bien (réduire) _réduit_, la sauce à la crème est un délice.

■ **4.** Ce problème, (résoudre) _résoudu_ en cinq minutes, n'était pas de mon niveau.

■ **5.** (Naître) _Nést_ en 2005, elle n'a pas connu les attentats du 11-Septembre.

■ **6.** Leçon (savoir) _____ et bien (apprendre) _____, bravo !

> **N'oublie pas :** un participe passé employé comme adjectif s'accorde.

6 **J'APPLIQUE** pour lire

Mais à manier cette arme héroïque, il fut pris par une sorte d'ardeur belliqueuse, et il avança en la faisant tournoyer au-dessus de sa tête et en poussant des rugissements furieux. Peu d'épis furent gâtés par ce traitement, mais la paille, hachée, dispersée, piétinée était inutilisable.

Michel Tournier, *Vendredi ou la Vie sauvage*, © Éditions Gallimard (1971).

a) Souligne les participes passés.

b) Lesquels appartiennent à une forme verbale composée ? _____

c) Lesquels sont employés comme adjectifs ? _____

7 **J'APPLIQUE** pour écrire

Toi aussi, raconte un moment dans ta vie où, à force de faire n'importe quoi, tu n'es pas du tout arrivé au résultat escompté.

Consigne
• 10 lignes
• 5 participes passés employés comme adjectifs : accorde-les bien !

Chacun son rythme

Coche la couleur que tu as le mieux réussie.

☐ Relève de nouveaux défis ! → exercices 1, 2 p. 56
☐ Améliore tes performances ! → exercices 3, 4 p. 56
☐ Prouve que tu es un champion ! → exercices 5, 6 p. 56

19 Les temps composés

J'observe

Comme j'avais fini *Croc-Blanc*, j'ai lu *Vendredi ou la Vie sauvage*. Et maintenant que je suis arrivé au bout, il me faut un autre roman.

Souligne les participes passés et encadre le verbe qui les précède.

Quels sont les infinitifs de ces verbes ? ....

Je retiens

A QU'EST-CE QU'UN TEMPS COMPOSÉ ?

• Les temps composés sont toujours constitués de **deux mots** : l'auxiliaire *avoir* ou *être* conjugué à un **temps simple** + le **participe passé** du verbe à conjuguer. *j'ai vu, tu étais allé*

B QUELS SONT LES DIFFÉRENTS TEMPS COMPOSÉS ?

• **Passé composé** = auxiliaire au **présent** : *j'ai vu, je suis allé.*

• **Plus-que-parfait** = auxiliaire à l'**imparfait** : *tu avais pris, nous étions venus.*

• **Passé antérieur** = auxiliaire au **passé simple** : *il eut choisi, vous fûtes montés.*

• **Futur antérieur** = auxiliaire au **futur** : *elle aura vendu, ils seront passés.*

• **Conditionnel passé** = auxiliaire au **conditionnel présent** : *j'aurais accepté, tu serais tombé.*

Remarque : quand l'**auxiliaire** est *être*, le participe passé **s'accorde avec le sujet**. (▶ fiche bilan 21)

Je m'entraîne

1 Conjugue les auxiliaires aux temps demandés.

avoir présent	être passé simple	être conditionnel présent	avoir subjonctif présent
j'..........	je	tu	que j'..........
il	nous	nous	qu'il ....
ils	ils	vous	que nous ....

2 Relis chaque verbe à l'auxiliaire qu'il emploie pour former ses temps composés.

 rester •

avoir •

 être •   • être

prendre •

venir •   • avoir

mettre •

mourir •

vouloir •

3 Souligne les temps composés, encadre *être* ou *avoir* quand ils sont utilisés seuls.

> **1.** J'ai un chien. • Elle a pris mon manteau. • Nous sommes allés au marché. • Je suis très grand.

> **2.** Ils furent très enthousiastes. • Vous aviez admis sa supériorité. • Tu seras tombé malade.

> **3.** Ils n'avaient aucune idée. • Vous étiez hardis. • Il eut totalement succombé.

4 Classe les verbes en gras dans la bonne colonne.

> **1.** J'**ai emmené** mon frère au supermarché et je lui **ai acheté** du chocolat.

> **2.** Il **aura pris** l'autoroute et **sera arrivé** avant nous.

> **3.** Vous vous **étiez perdus**, il **a** donc **consulté** son GPS.

> **4.** Tom **a relu** sa fiche… Heureusement ! Il **avait fait** plein de fautes.

> **5.** On l'**a averti** : les travaux **seraient finis** avant la nuit.

> **6.** Ils **avaient** déjà **eu** une panne… De nouveau, ils n'**avaient** pas **mis** assez d'essence.

Passé composé	Plus-que-parfait	Futur antérieur	Conditionnel passé
....	....	....	....
....	....	....	....
....	....	....	....

5 Transforme au temps composé correspondant.

> **1.** il danse : .... • je prenais : .... • ils jettent : ....

> **2.** ils vont : .... • tu retins : .... • vous courrez : ....

> **3.** il devrait : .... • que je puisse : .... • elle viendrait : ....

> Le temps auquel est conjugué le verbe devient le **temps de l'auxiliaire.**

6 **J'APPLIQUE** pour lire

> Robinson n'avait jamais été coquet et il n'aimait pas particulièrement se regarder dans les glaces. Pourtant cela ne lui était pas arrivé depuis si longtemps qu'il fut tout surpris un jour en **sortant** un miroir […] de **revoir** son propre visage. En somme, il n'avait pas tellement changé, si ce n'est peut-être que sa barbe avait allongé.
>
> Michel Tournier, *Vendredi ou la Vie sauvage*,
> © Éditions Gallimard (1971).

a) Souligne les verbes conjugués à un temps composé et donne leur infinitif. ....

....

b) Quel est ce temps ? ....

c) Conjugue les verbes en gras au passé composé et au futur antérieur. ....

....

....

7 **J'APPLIQUE** pour écrire

Comme Robinson redécouvre son propre visage, tu retrouves un vieux jouet datant de ton enfance et que tu n'avais pas vu depuis longtemps. Quels souvenirs cela t'évoque-t-il ?

> **Consigne**
> • 10 lignes
> • 6 verbes au plus-que-parfait

Coche la couleur que tu as le mieux réussie.
Relève de nouveaux défis ! → exercices 7 p. 56 et 8 p. 57
Améliore tes performances ! → exercice 9 p. 57
Prouve que tu es un champion ! → exercices 10, 11 p. 57

Chacun son rythme

20 L'emploi des temps simples et composés

J'observe

Une fois que Robinson <u>eut exploré</u> la totalité de l'île, il <u>décida</u> d'établir son principal lieu de dépôt dans une grotte.

D'après Michel Tournier, *Vendredi ou la Vie sauvage*, © Éditions Gallimard (1971).

À quels temps les verbes soulignés sont-ils? ....

Quelle action a eu lieu en premier ? ....

Je retiens

 A QUELLE DIFFÉRENCE Y A-T-IL ENTRE UN TEMPS SIMPLE ET UN TEMPS COMPOSÉ ?

- Un **temps simple** (ou le passé composé remplaçant le passé simple) présente une **action en cours de déroulement**.

  Il fait la sieste. Il aménagea / a aménagé une grotte. J'irai au marché.

- Un **temps composé** présente une **action entièrement achevée**.

  Il a lu Vendredi ou la Vie sauvage. *Il avait voyagé en Asie du Sud-Est.*

 B COMMENT UTILISER EN ALTERNANCE TEMPS SIMPLES ET TEMPS COMPOSÉS?

- Dans un récit, les temps composés s'utilisent pour des actions qui se sont déroulées avant les actions exprimées aux temps simples ; ils expriment donc l'**antériorité**.

  *Quand il **a sorti** son chien, il **se met** au lit.*

1. D'abord, il sort son chien, 2. quand il a fini, il se met au lit.

  *Une fois qu'il **eut exploré** l'île, il **décida** de s'établir dans une grotte.*

1. D'abord, il explore, 2. quand il a fini, il décide où s'établir.

Temps simple utilisé	Temps composé à choisir
présent	passé composé
imparfait	plus-que-parfait
passé simple	passé antérieur ou plus-que-parfait
futur	futur antérieur
conditionnel présent	conditionnel passé

Je m'entraîne

1 Encadre les actions en cours de déroulement et souligne les actions achevées.

   1. Il travaille de huit heures à midi. • Il est arrivé. Nous ne l'avions pas entendu.

   2. Il arriva épuisé : il avait parcouru vingt kilomètres. • Il aura bientôt tout réparé.

   3. Il est allé au marché ce matin. • Il a obtenu tous ses diplômes. • Il riait souvent.

2 Indique le temps des verbes et surligne l'action qui s'est déroulée en premier.

1. Quand tu as mangé (_____) tes tartines, tu bois (_____) ton café.

2. Après qu'il eut changé (_____) de voiture, il partit (_____) plus souvent.

3. Il ne progressera (_____) que quand il aura appris (_____) ses leçons.

3 Indique le temps du verbe en gras puis complète les phrases avec le temps composé approprié.

1. Il ne **va** (_____) plus à la laverie depuis qu'il `ACHETER` _____ un lave-linge.

2. Les enfants **jouaient** (_____) quand ils `FAIRE` _____ leurs devoirs.

3. Lorsqu'il `RANGER` _____ sa chambre, il **pourra** (_____) aller au cinéma.

4 Conjugue le verbe au temps simple approprié.

1. Comme il est rentré tard, il `DORMIR` _____ encore.

2. Il `SAUTER` _____ dans l'eau dès qu'il eut revêtu son maillot.

3. Nous avions prévu de cuisiner une dinde lorsque nous `APPRENDRE` _____ qu'il était végétarien.

5 Complète les phrases en fonction des indications données.

1. Action 1 : sonner ; **Action 2** : se lever ; temps simple = présent.

Ce n'est que lorsque le réveil _____ trois fois que je _____.

2. Action 1 : aller ; **Action 2** : savoir ; temps composé = futur antérieur.

Quand tu _____ à la réunion d'information, tu _____ quelle décision prendre.

3. Action 1 : prendre ; **Action 2** : pouvoir ; temps simple = passé simple.

Comme elle _____ le mauvais tournevis, elle ne _____ démonter le meuble.

6 **J'APPLIQUE** pour lire

> Robinson reconnut à la longue-vue des Araucans [...].
> Avaient-ils effectué sur leurs pirogues l'énorme traversée
> des côtes du Chili à Speranza ? Ce n'était pas impossible
> [...]. Mais il était plus probable qu'ils **avaient colonisé**
> l'une ou l'autre des îles Juan Fernandez et Robinson pensa
> aussitôt qu'il avait eu de la chance de ne pas avoir été jeté
> entre leurs mains.
>
> Michel Tournier, *Vendredi ou la Vie sauvage*,
> © Éditions Gallimard (1971).

a) Souligne les verbes qui sont à un temps simple.

b) Indique le temps du verbe en gras et justifie son emploi _____
_____
_____
_____

7 **J'APPLIQUE** pour écrire

Raconte un voyage en pirogue que tu aimerais faire.

Consigne
• 10 lignes minimum
• 5 verbes au plus-que-parfait
• 3 verbes à l'imparfait

Chacun son rythme

Coche la couleur que tu as le mieux réussie.
☐ Relève de nouveaux défis ! ⟶ exercices 12, 13 p. 57
▨ Améliore tes performances ! ⟶ exercice 14 p. 57
▨ Prouve que tu es un champion ! ⟶ exercice 15 p. 57

La formation des participes passés

1. *Quiz* **Coche les phrases vraies.**

1. Le participe passé est invariable. ☐

2. Le participe passé permet de former les temps composés. ☐

3. Le participe passé peut être employé comme adjectif. ☐

4. Le participe passé se conjugue aux six personnes. ☐

2. *Vrai ou faux* **Relie les phrases à la bonne réponse.**

1. Les verbes du 1er groupe ont un participe passé en -é. •

2. Seuls les verbes du 2e groupe ont un participe passé en -i. •   • VRAI

3. Les participes passés des verbes du 3e groupe se terminent par une consonne. •   • FAUX

4. Il y a différentes terminaisons pour les participes passés des verbes du 3e groupe. •

3. *Chasse à l'intrus* **Barre les verbes qui ne sont pas au participe passé.**

mangé • rougi • pris • finit • peint • joins • allé • cru • bus • croit • choisi • rugit • donner

4. *Lettres mêlées* **Remets les lettres dans l'ordre pour former des participes passés, puis complète les phrases.**

a) RETEUDCOV : ....

b) PEEERS : ....

c) NERCOUN : ....

1. Il a réussi parce qu'il a .... réussir.

2. Elle a .... un grand trésor.

3. Tu avais beau être déguisé, je t'ai .... tout de suite.

5. *Mots mêlés* **Retrouve les six participes passés cachés dans la grille puis complète les phrases. N'oublie pas d'accorder les participes si nécessaire.**

P	R	I	S
L	E	S	E
I	L	A	M
E	U	M	E

1. Avec l'arrivée du printemps, nous avons .... des salades et radis.

2. La dictée, une fois ...., ne doit plus comporter de fautes.

3. Comme j'ai .... de la chance de ne pas arriver en retard !

4. Tu as .... tes vêtements avant de les ranger dans l'armoire.

5. Ces pilules, ..., aux premiers signes de douleur, sont très efficaces.

6. Le professeur lui a oublié trois points, Paul se sent ....

6. *Devinette* **Raye les participes passés pour découvrir une devinette que tu devras résoudre.**

buQuelchantéjouéprisestétéfinipeintchoisiletapécruaimé maigridissoutpointvenuvucommunexpliquésuentrecon somméoffertunfuicueilliappliquéarbitredonnéetditfait unadmis déménageur?

Devinette : ....

....

Réponse : ....

Les temps composés

7. *Chasse à l'intrus* **Barre les verbes qui ne sont pas conjugués à un temps composé.**

il danse • nous avons rassemblé • je vins • ils sont allés • j'ai observé • il finit • elles ont offert • nous sommes passés • elle a confondu

8. Quiz **Coche les phrases vraies.**

Dans un temps composé :

☐ Il y a toujours deux mots.

☐ Le premier mot est toujours l'auxiliaire *avoir*.

☐ On utilise les participes passés des verbes *être* et *avoir*.

☐ L'auxiliaire est conjugué à un temps simple.

9. Range-verbes **Classe les verbes suivants par leur numéro dans la bonne colonne.**

1. nous étions venus
2. elle eut acheté
3. vous aviez mis
4. tu as fait
5. nous aurons rougi
6. ils eurent acquis
7. il a arrosé
8. j'avais envahi
9. elles furent tombées
10. nous avons appris
11. tu auras su
12. on sera allé
13. vous aviez donné
14. ils eurent compris

Passé composé	Plus-que-parfait	Passé antérieur	Futur antérieur
....	....	....	....

10. Méli-mélo **Retrouve la place des auxiliaires suivants et indique le temps ainsi formé. Attention, chaque verbe ne peut être placé qu'une fois.**

es • eus • ont • avait • aviez • furent • aurons • auras

1. il .... menti : ....
2. j' .... recueilli : ....
3. vous .... reçu : ....
4. ils .... acheté : ....
5. nous .... écrit : ....
6. tu .... descendu : ....
7. tu .... fait : ....
8. ils .... entrés : ....

11. Charade

Mon premier se fait lorsque l'on marche. **Mon deuxième** est la troisième lettre de l'alphabet. **Mon troisième** dure 365 jours. **Mon quatrième** se boit avec des petits gâteaux. **Mon cinquième** est le participe passé du verbe *rire*. **Mon sixième** dure 3600 secondes. **Mon tout** est un temps composé.

Réponse : ....

L'emploi des temps simples et composés

12. Vrai ou faux **Indique pour chaque phrase si elle est vraie ou fausse.**

1. Un temps composé exprime une action considérée au moment de sa réalisation. ....

2. L'action évoquée par un temps composé se déroule avant celle du temps simple. ....

3. Les temps simples et les temps composés sont interchangeables dans un récit. ....

13. Méli-mélo **Relie chaque temps simple au temps composé auquel il est généralement associé.**

futur antérieur •   • présent

passé antérieur •   • imparfait

passé composé •   • passé simple

plus-que-parfait •   • futur

14. Verbes à la loupe **Souligne les verbes qui expriment une action considérée au moment de sa réalisation, surligne ceux qui expriment une action entièrement accomplie.**

1. J'ai donné une gifle à mon frère.
2. Il prit une part de gâteau.
3. Il fut parti très tôt.
4. Nous chantâmes pour son mariage.
5. Elle acceptera l'invitation.
6. Elles avaient obéi sans discuter.

15. Labo des mots **Complète le tableau suivant.**

Phrases	Temps	Valeurs
Elle l'avait accompagné en Russie.	....	....
Je saute à la corde.	....	action en cours de réalisation
....	futur antérieur	....
....	passé composé	action achevée

Je sais accorder les participes passés

J'observe

Une idée était **venue** à Robinson, elle avait **germé** dans son esprit toute la nuit.

Michel Tournier, *Vendredi ou la Vie sauvage*, © Éditions Gallimard (1971).

Avec quel auxiliaire le premier participe en gras est-il conjugué ? ....

Avec quel mot s'accorde-t-il ? ....

Le deuxième participe en gras est-il accordé ? ....

Je retiens

A COMMENT ACCORDER LE PARTICIPE PASSÉ UTILISÉ SEUL ?

• Il s'accorde **avec le nom auquel il se rapporte**, comme un adjectif qualificatif.

une idée approuvée

B COMMENT ACCORDER LE PARTICIPE PASSÉ UTILISÉ AVEC *ÊTRE* ?

• Il s'accorde en genre et en nombre avec le **sujet du verbe**, même quand l'auxiliaire est à un temps composé.

L'idée est approuvée. L'idée a été approuvée.

C COMMENT ACCORDER LE PARTICIPE PASSÉ UTILISÉ AVEC *AVOIR* ?

• Il ne s'accorde **pas avec le sujet**.

• Il s'accorde **avec le COD** s'il est **placé avant le verbe**.

Robinson a appelé l'île Speranza. Il l'a appelée Speranza.

• Le COD est placé avant le verbe :

– quand il est **remplacé par un pronom** (*la, l', les, nous, vous, que*). *Ils les ont appelés.*

– dans des **phrases interrogatives**. *Quelle découverte as-tu faite ?*

Je m'entraîne

 1 Accorde ces participes passés utilisés seuls.

1. une île abandonné........ • des cris épouvanté........ • des leçons oublié........ • une histoire écouté........

2. une réponse vite donné........ et peu réfléchi........ • un homme et une femme abandonné........ à leur sort

3. Ému........, un père et une mère dévoué........ assistent à la pièce de théâtre interprété........ par leur fils.

 2 Accorde ces participes passés utilisés avec l'auxiliaire *être*.

1. Elles sont émerveillé........ • Nous sommes arrivé........ • Ces pièces seront repeint........

2. Elles ont été étonné........ • L'actrice a été félicité........ • Les acteurs ont été engagé........

3. Elle pense être reçu........ • Nous aurions été étonné........ • Vous vous êtes bien condui........

> L'accord se fait même si être es[t] à l'infinitif.

3 Surligne les COD de ces phrases interrogatives puis accorde les participes passés.

■ **1.** Quels films avez-vous vu**s** ? • Quelle voiture ont-ils achet**ée** ?

■ **2.** Combien de livres as-tu lu**s** ? • Quel chemin ont-ils choisi ?

■ **3.** Laquelle de ces chemises avez-vous choisi**e** ? • Les as-tu reconnu**s** ?

4 Souligne les pronoms COD et accorde les participes passés.

■ **1.** Il y avait de beaux oiseaux. Je les ai observé**s** .

■ **2.** J'adore cette histoire. Je l'ai souvent racont**ée** .

■ **3.** Cette pièce de théâtre, je l'ai vu**e** avec plaisir.

■ **4.** Tu me renverras cette lettre dès que tu l'auras reçu**e** .

■ **5.** C'est un chant merveilleux que la chorale a interprét**é** .

■ **6.** Nous avons appris une nouvelle qui nous a réjoui**e** .

5 Conjugue les verbes au passé composé.

■ **1.** Ils REGARDER *Regardaient* le match puis, rapidement, ils RENTRER *Rentreraient* .

■ **2.** Ma sœur CHOISIR *choisirait* une robe, mais NE PAS LA PORTER *ne la porterait pas* .

■ **3.** Les rosiers qu'il PLANTER *plantait* FLEURIR *fleurissait* , je vous les MONTRER *Montrait* .

6 Écris correctement les participes passés.

■ **1.** Les élèves n'ont pas été (prévenir) *prévenus* du changement d'emploi du temps. Ils sont (venir) *venus* à 8 h 00 et sont (rester) *resté* en permanence.

■ **2.** Les musiciens ont (jouer) *joués* toute la soirée et ont été très (applaudir) *applaudie* .

■ **3.** Nous avons (appeler) *appelés* Léa. Nous l'avons (remercier) *remerciés* : elle nous a (envoyer) *envoyés* des cadeaux qui nous ont (faire) *fais* très plaisir.

> **Regarde bien l'auxiliaire avant d'accorder.**

7 Conjugue le premier verbe au passé composé et le deuxième au plus-que-parfait.

■ **1.** Nous REVENIR *Reviendrons* mais, ce matin, nous PARTIR _____ courir.

■ **2.** Ils EXAMINER *Examiner* les empreintes que les voleurs LAISSER _____ .

■ **3.** Nous ÉCOUTER _____ les disques que vous nous OFFRIR _____ l'an dernier.

JE CONSOLIDE mon orthographe

8 Barre la forme fausse.

1. Épuisé / épuisées par leur course, les deux amies sont allé / allées se coucher.

2. Elle a goûté / goûtée à une nouvelle boisson et elle l'a adoré / adorée.

3. Elles ont acheté / achetées un nouveau portable avec l'argent qu'elles ont gagné / gagnées.

4. Il a ressenti / ressentit la même joie que lorsque sa sœur a remporté / remportée le championnat.

5. As-tu apprécié / appréciée les fleurs que nous t'avons cueilli / cueillies ?

6. Quelle couleur avez-vous préféré / préférés / préférée ?

7. Nous avons choisi / choisis le bleu. Nos choix ont été influencé / influencés par les conseils que tu nous as donné / donnés.

8. Elle ne nous a pas attendu / attendue / attendus.

Comment distinguer un participe passé d'un verbe conjugué ?

On peut facilement confondre les participes passés en –i et –u avec les verbes conjugués.

Je sais distinguer les différentes orthographes

- –i, –u, –ie, –ies, –ue, –ues, –its = **participes passés**.
La fête est finie. L'accord est conclu.

- –ut = 3e personne singulier du **passé simple**.
j'aperçus, il crut

- –is, –us = **participe passé** au masculin singulier ou pluriel (féminin en –se) ou 1re et 2e personnes singulier (**présent** ou **passé simple**).
Le couvert est mis. Des livres lus.

- –it = **participe passé** au masculin singulier (féminin en –te) ou 3e personne singulier (**présent** ou **passé simple**).
C'est dit. Il dit.

Je vérifie que j'ai bien compris

1 Coche la ou les bonne(s) case(s).

	Participe passé	Verbe conjugué
1. bus	☐	☐
2. écrits	☐	☐
3. pris	☐	☐

Je repère si le verbe peut varier en temps et en personne

- La forme peut se mettre à l'imparfait et se conjuguer à une autre personne = **verbe conjugué**.
je ris : je riais, nous rions = verbe conjugué

- La forme ne peut changer ni de temps ni de personne = **participe passé**.
j'ai ri : j'ai ~~riais~~, ~~rions~~ = participe passé

Je vérifie que j'ai bien compris

2 Essaie de transformer les formes en gras à l'imparfait. Puis indique si c'est un verbe conjugué ou un participe passé.

1. Je **pris**. ....
2. J'ai **lu**. ....
3. Il **reçut** sa convocation. ....
4. Avait-elle **choisi** son cadeau ? ....

Je vérifie que j'ai bien compris

3 Essaie de transformer à la 1re personne du pluriel. Puis indique si c'est un verbe conjugué ou un participe passé.

1. Elle a admis qu'elle avait tort. ....
2. Tu ne lui permis pas de sortir. ....
3. Je choisis souvent des tee-shirts bleus ....
4. A-t-il bien choisi le thème de son exercice ? ....

4 En fonction des indications données, complète les terminaisons des verbes.

1. participe passé, masculin singulier : fin...

2. participe passé, féminin singulier : b.........

3. verbe conjugué, présent, 3e personne du singulier : roug.........

4. verbe conjugué, passé simple, 1re personne du singulier : m.........

5. participe passé, masculin singulier : m.........

6. verbe conjugué, passé simple, 2e personne du singulier : s.........

5 Range les mots en gras dans la bonne colonne ; à chaque fois, justifie ton choix.

1. Je **mis** un chapeau pour sortir.

2. Qui a **pris** mon parapluie ?

3. Il ne **voulut** rien entendre.

4. Aurait-elle **fini** à temps ?

5. Elle **crut** que je me trompais.

6. Je n'**eus** jamais à me plaindre de lui.

7. Une si belle fête, qui l'eut **cru** ?

8. Trop de mensonges ont été **dits**.

9. **Sourit**-il souvent ?

Verbe conjugué	Justification

Participe passé	Justification

6 Choisis la bonne forme puis justifie ton choix en la soulignant si c'est un verbe conjugué et en la surlignant si c'est un participe passé.

1. Je fini / finis tous les jours à 18 h 00.

2. Je n'ai pas pu / pus courir plus vite.

3. Il fallut / fallu l'aider d'urgence.

4. Auras-tu mal compris / comprit la consigne ?

5. Je ne l'ai entrevus / entrevu qu'une minute.

7 Complète avec les bonnes terminaisons et indique si c'est un participe passé ou un verbe conjugué.

1. Tu avais sais.... la première occasion pour te distinguer. ....

2. Je pense que je ne sais.... pas bien le sens de ta question. ....

3. Il conqu.... l'Amérique en 1492. ....

4. Qu'avait-il conqu.... d'autre qu'une femme honnête ? ....

5. Je n'aurais jamais d.. lui dire oui. ....

6. Il d.... se précipiter à la banque. ....

8 **BILAN** Dans le texte suivant :
• souligne les verbes au passé simple.
• surligne les participes passés.

Son avance sur ses deux poursuivants ne cessait de croître. Robinson était certain qu'on ne pouvait le voir de la plage, sinon il aurait pu croire que l'Indien l'avait aperçu et venait se réfugier auprès de lui. Il fallait prendre une décision. […] C'est le moment que choisit Tenn pour aboyer furieusement dans la direction de la plage. Maudite bête !

Michel Tournier, *Vendredi ou la Vie sauvage*, © Éditions Gallimard (1971).

Transforme les participes passés au passé simple à la 3e personne du singulier.

....

À RETENIR

• **Verbes conjugués** : varient en temps et en personne.
• **Participes passés** :
– ne varient pas en temps ;
– peuvent se terminer par une voyelle seule (-i ou -u) ou par une consonne muette.

22 La phrase

Le ciel resplendit d'étoiles. Il y en a tant qu'il serait impossible de toutes les compter !

Combien y a-t-il de phrases ? .... **Encadre le signe de ponctuation final.**

Par quelle lettre commence le premier mot de chaque phrase ? ....

Quels signes de ponctuation y a-t-il à la fin ? ....

Je retiens

A QU'EST-CE QU'UNE PHRASE ?

• Une **phrase** commence par une **majuscule** et se termine par une **ponctuation forte**.

• La phrase **verbale** comporte un ou plusieurs **verbes conjugués**.

• La phrase **non verbale** ne comporte **aucun verbe conjugué**. Elle s'organise autour d'un nom, d'un adjectif, d'un adverbe, et se rencontre surtout dans les dialogues et les titres.

> *Elles se promènent sous les arbres.* → phrase verbale
> *Plus vite !* → phrase non verbale

B QU'EST-CE QU'UNE PHRASE SIMPLE ?

• Une phrase simple comporte **un seul verbe conjugué**.

• Elle est constituée d'**une seule proposition** appelée **indépendante**. *Marc va devant.*

• Une **proposition** est l'**ensemble des mots** qui s'organisent **autour d'un verbe conjugué**.

Remarque : une phrase non verbale est toujours une phrase simple.

C QU'EST-CE QU'UNE PHRASE COMPLEXE ?

• Une phrase complexe comporte **autant de propositions que de verbes conjugués**.

> *[Lorsque le mois de décembre **commence**,] [les rues **sont décorées** de nombreuses illuminations.]*

Je m'entraîne

1 Indique si les phrases sont verbales ou non verbales. Souligne les verbes conjugués.

 1. Paul, où as-tu mis les clés ? ....

2. Sur la table ! ....

3. Merci du renseignement. ....

2 Transforme ces phrases verbales en phrases non verbales ou inversement. Souligne les verbes.

 1. Un violent orage a éclaté cette nuit. ....

2. Vivement le week-end ! ....

 3. Méfiez-vous, ce modèle est souvent imité. ....

3 Indique si les phrases suivantes sont simples ou complexes. Puis délimite les propositions dans les phrases complexes à l'aide de crochets.

   1. Il veut pêcher avec le seau attaché à un fil. ....

   2. Il promet   que les poissons vont venir . ...

   3. Les paysans ont percé la glace afin de faire boire le bétail. ....

4 Transforme ces couples de phrases simples en phrases complexes en utilisant une proposition relative.

   1. J'ai croisé un petit garçon. Il semblait perdu.

....

   2. Regarde ce stylo. Je l'ai acheté hier.

....

> Tu peux **remplacer** certains déterminants.

   3. Je t'ai apporté un livre. Je t'avais parlé de ce livre la semaine dernière.

....

5 Transforme ces phrases complexes en deux phrases simples.

   1. Je sors du collège que je fréquente depuis deux ans.

....

   2. Je vais te montrer l'endroit où j'ai passé mes meilleures vacances.

....

   3. Je t'apporte le DVD du film dont je t'ai parlé hier.

....

6 **J'APPLIQUE** pour lire

> L'un prenait la Lune pour une lucarne du Ciel. Un autre disait que ce pouvait bien être le soleil lui-même qui s'étant au soir dépouillé de ses rayons regardait par un trou ce qu'on faisait au monde , quand il n'y était pas . Erreur totale ! Moi je crois que la Lune est un monde comme celui-ci, à qui le nôtre sert de Lune.
>
> D'après Cyrano de Bergerac, *Voyage dans la Lune* (1656).

a) **Relève une phrase non verbale.**

....

b) **Transforme-la en phrase verbale.** ....

....

....

c) **Souligne une phrase verbale simple.**

d) **Isole les propositions dans les phrases complexes.**

7 **J'APPLIQUE** pour écrire

Le narrateur du texte croit que la Lune est semblable à la Terre et que des créatures y vivent.

À ton tour imagine un dialogue entre deux amis dont l'un croit que d'autres planètes habitées existent et l'autre pas. Chacun devra justifier son point de vue.

> **Consigne**
> • 2 phrases non verbales
> • 2 phrases simples
> • 2 phrases complexes

Coche la couleur que tu as le mieux réussie.

☐ Relève de nouveaux défis! ⟶ exercices 1, 2 p. 68

▨ Améliore tes performances! ⟶ exercices 3, 4 p. 68

■ Prouve que tu es un champion! ⟶ exercices 5, 6 p. 68

Chacun son rythme

Types et formes de phrase

J'observe

Je ne suis pas sûre d'avoir tout compris. Pourtant, j'ai bien écouté le cours! N'aurais-je pas raté une information?

Souligne deux phrases à la forme négative et encadre les mots qui t'ont permis de les trouver.

Quelle phrase pose une question? ....

Je retiens

 A QUELS SONT LES DIFFÉRENTS TYPES DE PHRASE?

- Les phrases **déclaratives** transmettent une **idée**, une **information** et se terminent par un **point**.

    Vous me faites rire.

- Les phrases **interrogatives posent une question** et se terminent par un **point d'interrogation**.

    Qu'y a-t-il?

– Les **interrogations totales** portent sur la phrase entière, on y répond par *oui* ou *non*.

– Les **interrogations partielles** portent sur un élément inconnu et comportent un mot interrogatif.

- Les phrases **injonctives donnent un ordre** et se terminent par un **point**.

    Dis donc vite. Ne pleurez pas. Souligner les verbes. Vous fermerez la porte.

- Les phrases **exclamatives** sont des phrases **déclaratives** ou **injonctives** qui se terminent par un **point d'exclamation**. Cette ponctuation exprime une **émotion**, un **sentiment fort** (joie, colère...).

    Monsieur! Ah! quel beau temps! Comme tu es beau!

 B QUELLES SONT LES DIFFÉRENTES FORMES DE PHRASE?

Il existe **deux formes** de phrase: **négative** et **affirmative**.

- Dans les phrases négatives, les **adverbes exprimant la négation** peuvent:

– Inverser le sens de l'affirmation: ***ne... pas.*** *Il n'est **pas** venu.*

– Introduire une idée de temps: ***ne... plus.*** *Il n'y a **plus** de pain.* (il y en avait avant)

– Exprimer des négations plus fortes, totales: ***ne...rien, ne...jamais.*** *Je ne vois **rien**. Il n'est **jamais** là.*

– Indiquer une restriction (pas de sens négatif): ***ne...que.*** *Je ne bois **que** de l'eau.*

- **Les conjonctions de coordination *ni* ou *ni... ni...*** remplacent *et* et *ou* dans la phrase négative. *Il n'y a **ni** eau **ni** pain.*

Remarque: tous les types de phrases peuvent se mettre à la **forme négative**.

Je m'entraîne

1 Indique le type de ces phrases.

    1. Nous avons une chance d'arriver à l'heure. ....

    2. Est-il grand et mince? ....

    3. Ouvrez cette fenêtre! ....

2 Indique si les interrogations sont totales ou partielles.

⬜ **1.** Est-ce que vous avez rencontré quelqu'un ? ....

⬛ **2.** T'ennuies-tu quelquefois ? ....

⬛ **3.** Que désirez-vous ? ....

3 Indique si ces phrases exclamatives sont déclaratives (D) ou injonctives (I).

⬜ **1.** Comme tu as grandi ! ......   • Quel mauvais temps ! ......

⬛ **2.** Rentre immédiatement ! ......   • Il a encore gagné ! ......

⬛ **3.** Tout le monde dehors ! ......   • Et encore une augmentation ! ......

4 Mets les phrases à la forme négative pour exprimer l'idée contraire.

⬜ **1.** Le matin, je prends du café. ....

⬛ **2.** Elle voit tout. ....

⬛ **3.** Elle est toujours souriante. ....

> Pense à utiliser **toutes les négations** que tu connais.

5 Transforme ces phrases en phrases négatives du type indiqué.

⬜ **1.** Il a oublié le pain.

DÉCLARATIVE → ....

⬛ **2.** Il traverse la rue sans faire attention.

INJONCTIVE → ....

⬛ **3.** Il a tout vu.

INTERROGATIVE (deux possibilités) → ....

6 **J'APPLIQUE** pour lire

Je décidai donc de monter dans la Lune.
Voici comment je montai au ciel. J'avais attaché autour de moi quantité de fioles pleines de rosée. Le soleil en dardant ses rayons sur elles, les attirait comme il attire les nuages et m'éleva si haut que je me trouvai très vite au-dessus de la Terre.
– Quelle folie ! Pourquoi t'es-tu engagé seul dans ce projet insensé ? N'avais-tu pas peur de ne jamais pouvoir redescendre ? déclarèrent mes amis.
– Je n'y songeai même pas. Le désir de savoir était le plus fort !

D'après Cyrano de Bergerac, *Voyage dans la Lune* (1656).

a) Souligne en bleu trois phrases déclaratives et en rouge deux interrogatives.

b) Relève une phrase exclamative et précise son type. ....

c) Relève deux phrases à la forme négative en précisant leur type. ....

....

....

d) Relève un mot interrogatif. ....

7 **J'APPLIQUE** pour écrire

Aimerais-tu faire un voyage dans l'espace ?
Explique pour quelles raisons.

Consigne
• 10 lignes
• au moins 2 types de phrases
• 2 phrases négatives

Coche la couleur que tu as le mieux réussie.
⬜ Relève de nouveaux défis ! → exercices 7 p. 68 et 8 p. 69
⬛ Améliore tes performances ! → exercices 9, 10 p. 69
⬛ Prouve que tu es un champion ! → exercice 11 p. 69

Chacun son rythme

24 La phrase complexe

J'observe

Il est arrivé à l'heure à notre grand étonnement. Cela ne s'était pas produit depuis l'époque où il venait à vélo. Quel événement !

Souligne la phrase complexe et encadre les verbes conjugués.

La deuxième proposition a-t-elle un sens à elle seule ? ....

Je retiens

Dans une **phrase complexe**, on trouve des **propositions indépendantes** et/ou des **principales** et des **subordonnées**.

 COMMENT LES PROPOSITIONS INDÉPENDANTES SONT-ELLES RELIÉES ?

• Les indépendantes peuvent être **juxtaposées** (juste séparées par une ponctuation faible).

> *La porte était ouverte : je suis entrée.*

• Elles peuvent aussi être **coordonnées**. Elles sont alors reliées par un **mot de liaison** qui peut être une **conjonction de coordination** : *mais, ou, et, donc, or, ni, car* ou – un **adverbe de liaison** : *pourtant, puis, alors, en effet, ensuite… Il est venu mais n'est pas resté longtemps.*

 COMMENT RECONNAÎTRE LES PROPOSITIONS PRINCIPALES ET SUBORDONNÉES ?

• Les **propositions principales** sont complétées par une ou plusieurs **propositions subordonnées**, elles ont souvent un **sens complet**.

> *Quand je suis rentré, **j'ai rencontré la jeune fille** qui va habiter à côté. (la principale en gras a un sens et elle est complétée par deux subordonnées)*

• Une **proposition subordonnée** est introduite **par un subordonnant et n'a pas de sens complet**.

> *qui va habiter à côté n'a pas de sens complet*

• Elle a une **fonction grammaticale**. (▶ fiches 7 et 26 à 29)

• Les **principaux subordonnants** sont : *qui, que, dont, où, quand, parce que, pour que…*

Remarque : une indépendante et une principale ou deux subordonnées peuvent être **coordonnées**.

Je m'entraîne

1 Sépare les propositions indépendantes puis indique si elles sont juxtaposées ou coordonnées.

1. Je suis partie pendant trois jours : je me suis bien reposée. ....

2. Je ne peux pas te parler car il y a trop de bruit. ....

3. Elles sont arrivées trop tôt : le gâteau n'était pas cuit alors elles sont reparties. ....

....

2 Place la conjonction de coordination ou l'adverbe de liaison au bon endroit.

pourtant • donc • car

1. Il a joué tout l'après-midi .... il est rentré très fatigué.

2. Je ne sors pas .... il pleut beaucoup trop.

3. Il fait un temps splendide .... je n'ai pas le droit de sortir.

3 Souligne en bleu les principales, en rouge les subordonnées et encadre les subordonnants.

1. Il veut se venger parce qu'il est furieux.

2. J'attends avec impatience qu'il revienne pour que nous nous amusions.

3. Puisque tu es là, aide- moi à ranger cette table qui est très lourde.

4 Sépare les propositions de ces phrases complexes et indique leur nature. Encadre les mots qui coordonnent et les subordonnants.

1. Tous les amis sont arrivés, ils portaient un énorme cadeau et me l'ont offert.

....

2. Quand vous êtes entrés, nous avons tous été surpris.

....

3. Ma petite sœur est curieuse et s'intéresse à tous les livres qu'elle trouve.

....

5 **J'APPLIQUE** pour lire

Mais soudain, je m'aperçus que je montai avec trop de rapidité. **Au lieu de m'approcher de la Lune, je m'en éloignai,** je cassai plusieurs de mes fioles jusqu'au moment où je sentis que je redescendais vers la Terre. J'y retombai quelque temps après, mais *alors qu'il aurait dû être minuit,* le soleil était au plus haut de l'horizon.

D'après Cyrano de Bergerac, *Voyage dans la Lune* (1656).

a) Indique le type de la proposition en gras.

....

b) Indique le type de la proposition en italique. ....

c) Recopie les propositions contenues dans la première phrase et indique leur nature.

....

....

....

6 **J'APPLIQUE** pour écrire

Le narrateur n'est pas retombé à son point d'origine: il est à l'autre bout du monde. Imagine ce qu'il va découvrir.

Consigne
• 10 lignes
• 2 indépendantes
• 2 principales
• 2 subordonnées

Coche la couleur que tu as le mieux réussie.

☐ Relève de nouveaux défis! ⟶ exercice 12 p. 69

☐ Améliore tes performances! ⟶ exercice 13 p. 69

☐ Prouve que tu es un champion! ⟶ exercice 14 p. 69

Chacun son rythme

Chacun son rythme

La phrase

■ **1.** Range-phrases **Souligne en bleu les phrases non verbales, en rouge les phrases simples et en vert les phrases complexes.**

1. Quelle surprise de vous voir ici !

2. Je suis décidé à ne pas me montrer aujourd'hui !

3. Ne bouge plus et écoute !

4. Comment ne pas perdre la tête, en voyant ce travail ?

5. Partir, voilà une idée enthousiasmante.

6. Comme tu es là, aide-moi !

■ **2.** Vrai ou faux ? **Coche les phrases vraies.**

Une phrase simple :

☐ peut être non verbale.

☐ est obligatoirement une phrase verbale.

☐ peut avoir plusieurs verbes conjugués.

☐ n'a qu'un seul verbe conjugué.

■ **3.** Mots mêlés **Retrouve cinq mots d'au moins quatre lettres dans cette grille et constitue une phrase simple. Tu peux lire dans tous les sens.**

E	L	L	I	F	T
R	L	O	M	N	E
N	R	L	E	E	L
O	V	I	E	I	L
U	V	U	O	U	I
S	B	C	D	V	Q

Phrase: ....

■ **4.** Méli-mélo **Reconstitue deux phrases à partir des éléments mélangés. Souligne en bleu la phrase verbale et en rouge la phrase non-verbale.**

par • quelle • étions bloqués • découverte • la • nous • extraordinaire • neige

Phrase 1 :

Phrase 2 :

■ **5.** Lettres mêlées **Remets ces lettres en ordre pour retrouver les phrases. Puis souligne les phrases complexes.**

1. esqipuu ut se ne erlceo, en em erapl sap !

....

2. sios ftnttaei a al cnsgneio et eeesrptc al.

....

3. el tffecrehemnua itamcilequ ste nue esqcuneenoc sed esriudsnti manshieu.

....

....

■ **6.** Charade **Résous les charades pour trouver trois mots et compléter la phrase.**

1. **Mon premier** est un corps céleste, **mon deuxième** est la quinzième lettre de l'alphabet, **mes troisièmes** sont inscrites sur mon bulletin et **mon tout** est un métier.

Réponse : ....

2. **Mon premier** désigne un fruit bon à manger ou entoure la maison, **mon deuxième** est un cri de douleur et **mon tout** est une construction servant de défense.

Réponse : ....

3. **Mon premier** est la vingtième lettre de l'alphabet, on fait **mon deuxième** quand on marche, **mon troisième** est un déterminant démonstratif masculin singulier et **mon tout** est une étendue indéfinie.

Réponse : ....

Phrase : Les .... voient la ....

de Chine depuis l'.............................. .

Types et formes de phrase

■ **7.** Chasse aux intrus **Barre les phrases mal classées.**

1. **Injonctive :** Viens ! • Ne pars pas ! • Range ta chambre ! • Attention à toi ! • Quelle peur !

2. **Déclarative :** Je ne dors pas la nuit. • Je dors la nuit. • Ne dors pas. • Écoute.

3. **Exclamative :** Quel spectacle ! • Regarde ! • Pourquoi est-il sorti ? • Je voudrais m'en aller.

68

8. QCM Coche les bonnes réponses.

	Interrogation totale	Interrogation partielle
1. Par où passes-tu ?	☐	☐
2. Comment vous portez-vous ?	☐	☐
3. Est-ce que vous avez envie d'une boisson ?	☐	☐
4. Avons-nous couru assez vite ?	☐	☐
5. Que voulez-vous acheter ?	☐	☐
6. Quand est-ce que vous partez ?	☐	☐

9. Labo des mots Complète ce tableau.

Phrases	Interrogation totale ou partielle ?
1.	Interrogation totale
2. Comment as-tu fait ?	....
3. Tu étais à l'heure ?	....
4.	Interrogation partielle

10. Quiz Coche les bonnes réponses.

	Vincent a raison	Vincent a tort
1. Je ne nie pas que Vincent n'a pas raison.	☐	☐
2. Je nie que Vincent a raison.	☐	☐
3. Je ne nie pas que Vincent a raison.	☐	☐
4. Je nie que Vincent n'a pas raison.	☐	☐

11. Lettres mêlées Remets les lettres en ordre puis complète les phrases négatives.

`ENRPEOSN` `SAIAMJ` `ENACUU` `NEIR`

1. Je n'ai .... envie de partir.
2. Il ne dit .... la vérité.
3. Nous n'avons rencontré ....
4. Elles n'ont .... vu.

La phrase complexe

12. Remue-méninges Mets ces phrases à la forme négative sans changer leur sens.

Ex. : *C'est loin.* → *Ce n'est pas tout près.*

1. C'est facile. ....
2. Il travaille tout le temps. ....
....
3. Ils sont lents. ....
4. Elle sait tout. ....
5. Elle est intelligente. ....

13. Range-phrases Classe les propositions dans le tableau.

1. J'affirme que c'est un scandale.
2. Je me demande ce que tu veux.
3. Mon ami qui s'est engagé dans une cause humanitaire, est passionné.
4. Puisque c'est ainsi, je ne viendrai pas.
5. Je te parle du livre dont nous avions rencontré l'auteur.
6. Lorsqu'il vous convoque, il faut venir !

Principales	Subordonnées
....	....
....	....
....	....
....	....
....	....
....	....
....	....
....	....

14. Devinette Barre toutes les conjonctions de subordination. Avec les mots restants, tu trouveras l'énoncé d'une devinette à laquelle tu devras répondre.

Qu'lorsqueestpuisquequanddesortequecequ'pourque afinqueunviragequecommequinealorsquesi mènenulle quoiquepart ?

Devinette : ....

....

Réponse : ....

25 La phrase minimale

Grâce aux astronautes, nous voyons mieux notre planète. La Terre est ronde.

La première phrase conserve-t-elle un sens si tu supprimes le groupe en italique ? ....

Peux-tu supprimer un mot ou un groupe de la deuxième phrase ? ....

La deuxième phrase est donc une phrase ....

Je retiens

 A COMMENT UNE PHRASE MINIMALE EST-ELLE CONSTITUÉE ?

• La phrase **minimale** ne comporte que **les éléments indispensables**. Sa constitution dépend du **sens des verbes**.

On peut avoir les éléments suivants :

• **Sujet + verbe d'action ou verbe à l'impératif.**

Je travaille. Viens. Dors.

• **Sujet + verbe d'état + attribut du sujet** qui apporte des précisions sur le sujet. (▶ fiche 27)

La Terre est ronde. (La Terre est n'a pas de sens.)

• **Sujet + verbe d'action + complément de verbe** qui complète le sens du verbe. (▶ fiche 28)

Nous observons la Terre. (Nous observons n'a pas de sens.)

 B QUELS SONT LES AUTRES ÉLÉMENTS POSSIBLES ?

• **Sujet + verbe d'action + deux compléments de verbe**

*Nous avons offert un télescope **à notre père**.*
(Le deuxième élément complète le verbe mais peut être supprimé.)

• **Phrase minimale + complément(s) de phrase.** Ceux-ci apportent des **précisions sur les circonstances** de l'action. On peut les **déplacer** ou les **supprimer**.

Hier, à l'occasion de son anniversaire, nous avons fait un gâteau.

Hier, nous avons fait un gâteau, à l'occasion de son anniversaire.
(*Nous avons fait un gâteau* a un sens.)

Je m'entraîne

1 Barre les groupes qui ne peuvent pas constituer une phrase.

1. souris • regarde • as vu • tu as réfléchi • il eut • arrêtez

2. finis • tu fus • nous avons négocié • nous fîmes • grimpent

3. il arrive • aies • nous étions • corriges • sortons

2 Barre les éléments qui ne constituent pas une phrase minimale.

1. Un seul monde existe. • Nous avons observé l'océan pendant une heure.

2. Redonne-moi confirmation pour le rendez-vous. • Je ne suis pas venue hier.

3. Notre planète te semble fragile. • Comment as-tu encore réussi cette fois-ci ?

3 Indique à côté de chaque phrase le bon numéro : sujet + verbe (1), sujet + verbe d'état + attribut du sujet (2), sujet + verbe d'action + complément de verbe (3).

1. Nous chantons. ...... • Nous avons apporté un gâteau. ...... • La table est noire. ......

2. Viendront-ils ? ...... • Ils ont l'air contents. ...... • Nous ne le répèterons pas. ......

3. J'aime chanter. ...... • Je veux que tu viennes. ...... • Ne rien dire semble la meilleure solution. ......

4 Ajoute à ces phrases minimales le nombre de compléments demandés.

1. `1 COMPLÉMENT` Elle travaille ....

2. `2 COMPLÉMENTS` Reviens ....

3. `3 COMPLÉMENTS` J'ai assisté à une représentation théâtrale ....
....

5 Utilise ces verbes conjugués pour former une phrase minimale, puis précise de quoi ta phrase est constituée.

1. polluent ....

2. réfléchissent ....

3. chante ....

4. semblez ....

5. ont disparu ....

6. a déclaré ....

6 **J'APPLIQUE** pour lire

[Le ciel était d'un noir profond, mais en même temps, il brillait de la lueur du Soleil…] La Terre paraissait petite, bleue, claire, si attendrissante, si esseulée. C'était notre demeure, et il fallait la défendre comme une sainte relique. Elle était absolument ronde. Je crois que je n'ai jamais su ce que le mot « rond » signifiait avant d'avoir vu la Terre depuis l'espace.

« Alexis Leonov » in *Clairs de Terre*, Kevin W. Kelley, traduction de Jerry Cornelius, DR.

a) Isole les groupes qui constituent la quatrième phrase.

b) Quel complément de phrase peux-tu supprimer dans la phrase entre crochets ?

....

c) Quelle phrase ne comporte aucun complément de phrase ? ....

7 **J'APPLIQUE** pour écrire

Aimerais-tu voyager dans l'espace ? Raconte pourquoi.

Consigne
• 15 lignes
• 4 phrases avec des compléments de phrase

Coche la couleur que tu as le mieux réussie.

☐ Relève de nouveaux défis ! → exercices 1, 2 p. 76
■ Améliore tes performances ! → exercices 3, 4 p. 76
■ Prouve que tu es un champion ! → exercices 5, 6 p. 76

Chacun son rythme

26 Le sujet et son accord avec le verbe

Je lui **ai demandé** : « Pourquoi **fais**-tu cela ? »

Indique les sujets des verbes en gras. ....

Où le sujet du deuxième verbe est-il placé ? Pourquoi ? ....

Je retiens

A COMMENT RECONNAÎTRE UN SUJET ?

• Le sujet indique **de quoi ou de qui on parle** dans la phrase. Pour le trouver, on pose la question : **« qui ou qu'est-ce qui + verbe ? »** *Le chien aboie.* ➡ Qui est-ce qui aboie ?

• Il est **obligatoire** avec un verbe conjugué, sauf à l'impératif.

• Il est souvent placé **avant** le verbe mais peut être **inversé** (question, dialogue...) ou **séparé** du verbe par un mot ou un groupe de mots. *Où vont-ils ?*

B LES CLASSES GRAMMATICALES DU SUJET

• **Nom ou GN.** *La maison semble déserte.*

• **Pronom** (personnel, démonstratif...). *Elle apporte son goûter. Ceci est intéressant.*

• **Verbe ou groupe infinitif.** *S'excuser n'est pas négociable.*

• **Proposition subordonnée conjonctive** introduite par *que*.
   Que je sois triste ou gaie te laisse indifférent.

C COMMENT ACCORDE-T-ON LE VERBE AVEC LE SUJET ?

• Le verbe s'accorde en **nombre** et en **personne** avec le sujet.

• Lorsque le sujet est un GN comportant un complément du nom (CDN), il faut chercher le nom qui commande l'accord. *Les fruits de cet arbre étaient délicieux.* (Ce sont les fruits qui sont délicieux.)

• Si le sujet est le pronom relatif *qui*, le verbe s'accorde avec l'antécédent. *Toi qui vas souvent en Angleterre.*

• Si les sujets ne sont pas à la même personne, le verbe est au pluriel de **la plus petite personne**. *Lui et moi sommes cousins.* ➡ 1re personne du pluriel

Je m'entraîne

1 Souligne les sujets et indique leur classe grammaticale.

 1. Penses-tu bien à toutes les éventualités ? ....

2. Tous les amis étaient réunis. ....

 3. « Attention ! » s'écrient les gens venant de la plage. ....

4. Partir très tôt est une bonne idée. ....

 5. Qu'il soit déjà là m'étonne beaucoup. ....

6. Ainsi s'est achevé l'épisode. ....

2 Complète ces phrases au présent de l'indicatif avec les verbes entre parenthèses. Encadre les sujets.

▮ **1.** Je te (soupçonner) .... et tu les (accuser) ....

▮ **2.** Vous la (comprendre) .... et elle vous (remercier) ....

▮ **3.** Il les (voir) .... et elles le (surprendre) ....

> Des pronoms personnels compléments peuvent s'intercaler entre le sujet et le verbe !

3 Conjugue au présent de l'indicatif le verbe entre parenthèses.

▮ **1.** Paul et Julie (arriver) .... toujours très tôt.

▮ **2.** Lui et moi (appartenir) .... à la même promotion.

▮ **3.** C'est toi qui (avoir) .... toujours la meilleure note.

▮ **4.** Moi qui (avoir) .... toujours de la chance, j'ai perdu au loto.

▮ **5.** Vous et moi (être) .... du même avis.

4 Barre la mauvaise orthographe.

▮ **1.** Tout monde venait / venaient à ces représentations.

▮ **2.** Elle les ont / a attendu(e)s longtemps.

▮ **3.** Je ne vous entendais / entendez pas bien.

5 Réécris les phrases en remplaçant les sujets en gras par les sujets proposés et accorde.

▮ **1. Vous** (Claire et Stéphanie) reconnaissez difficilement les lieux.

....

▮ **2. Les enfants** (les enfants et moi) sont prêts.

....

▮ **3. Ces événements** (que ces animaux sauvages soient venus si près) ont alerté la population.

....

JE CONSOLIDE mon orthographe

6 Complète s'il le faut les verbes conjugués.

▮ **1.** Je croi....... qu'il ne vous av............. pas reconnu.

▮ **2.** Il ne les rencontr........ pas souvent, mais il leur envo........ des messages.

▮ **3.** Autrefois, ici, vivai............. deux familles.

▮ **4.** Lui et moi apparten............ à la même famille.

▮ **5.** Jules et toi dev............ venir très vite.

▮ **6.** C'est toi qui a........ fait le meilleur temps.

▮ **7.** Je te présent............ Élodie qui a gagné la course.

▮ **8.** Ce n'est pas moi qui .... laissé la porte ouverte.

Coche la couleur que tu as le mieux réussie.

☐ Relève de nouveaux défis! ⟶ **exercices 7 p.76 et 8 p. 77**

▮ Améliore tes performances! ⟶ **exercices 9, 10 p.77**

▮ Prouve que tu es un champion! ⟶ **exercice 11 p.77**

> Chacun son rythme

27 L'attribut du sujet et son accord avec le sujet

L'univers **est** un espace infiniment grand. Nous **sommes** tout petits à l'échelle du monde.

Souligne les sujets des verbes en gras.

Relève les mots ou groupes de mots qui apportent des précisions sur ces sujets et indique leur classe grammaticale. ....

Peut-on supprimer ces mots ? ....

Je retiens

 A QU'EST-CE QU'UN ATTRIBUT DU SUJET ?

• L'attribut du sujet **donne des renseignements** sur le sujet : qualité, défaut, métier, nom...

• Il ne peut pas être supprimé (**fonction essentielle**). *Ma sœur est **hôtesse de l'air**.*

• Il se rencontre souvent après les **verbes d'état** : *être, paraître, sembler, avoir l'air, passer pour...*
*Elle semble **jalouse**. Il passe pour **un menteur**.*

• Il se rencontre aussi **après d'autres verbes** comme *rester, demeurer, s'appeler, tomber, vivre...*
*Il reste **calme**. Il s'appelle **Victor**. Il est tombé **amoureux**. Ils vécurent **heureux**.*

B LES CLASSES GRAMMATICALES DE L'ATTRIBUT DU SUJET

• **Nom** ou **GN**. *Les hommes resteront-ils **les maîtres** sur Terre ?*
• **Adjectif qualificatif**. *Ses mains étaient **agiles**.*
• **Pronom**. *Ce livre est **le mien**.*
• **Infinitif** ou **groupe infinitif** (parfois introduit par *de*). *Mon rêve est **de voyager**.*
• **Proposition subordonnée conjonctive**. *Mon souhait est **qu'il soit vainqueur**.*

C COMMENT ACCORDER L'ATTRIBUT DU SUJET ?

• L'**attribut du sujet** s'accorde en **genre** et en **nombre** avec le sujet.
Ils demeuraient stoïques. Elles sont heureuses. Sa mère est institutrice.

Je m'entraîne

 1 Souligne les attributs du sujet et indique leur classe grammaticale.

1. Les hommes sont fiers car les mystères de l'univers leur semblent explicables. ....

2. Le vrai bonheur était pour lui de regarder les étoiles. ....

3. Observer le ciel ne lui paraissait pas une activité importante. ....

4. Cette idée était la sienne. ....

5. Sa volonté était que je l'accompagne. ....

2 Souligne les attributs du sujet. Barre les phrases où il n'y en a pas.

1. Nos vacances ont été excellentes.

2. Nos amis nous ont apporté des chocolats.

3. Les enfants semblent joyeux, mais ils sont rentrés fatigués.

4. Ils sont sous la douche.

5. Pierre a appelé son petit chien.

6. Ce petit chien s'appelle Youky.

> N'oublie pas que les attributs du sujet donnent des renseignements sur le sujet.

3 Accorde les attributs du sujet.

1. Ces disciplines sont (intellectuel) ....

2. La physique est (passionnant) ....

3. Ces découvertes et ce calcul sont (épatant) ....

4. Pourquoi découvrir semble-t-il (suspect) .... ?

5. Étudier la physique est (important) ....

6. Les étoiles sont (jaune vif) ....

> Si le sujet est un **verbe à l'infinitif**, l'adjectif attribut est au **masculin singulier**.

4 Complète les phrases avec les attributs du sujet proposés.

la nôtre • prendre soin • un inconvénient • primordial • maîtriser • le pouvoir de changer la nature

1. Notre priorité est de .... des espèces protégées et de .... nos ressources.

2. Cette planète est .... Prendre conscience de la situation est ....

3. Notre originalité est ...., mais c'est aussi ....

5 Complète par un attribut du sujet de la classe grammaticale indiquée.

1. Les ouragans sont considérés comme (GN) ....

2. Cette hypothèse reste (pronom) ....

3. Elle passe pour (groupe infinitif) ....

JE CONSOLIDE mon orthographe

6 Barre les propositions fausses.

1. Les romans que tu lis sont extraordinaires / extraordinaire.

2. Ils sont rentrés mécontent / mécontents.

3. Julie et Sophie sont sœurs / sœur.

4. Le canapé et la chaise sont noires / noirs / noir.

5. Ma mère et ma sœur paraissaient pressées / pressés.

6. Pierre et Marie sont avocats / avocat.

7. Manipuler tous ces instruments me semblent fatigants / semble fatigant.

8. Ces deux élèves passent pour être très douées / douée / doués en informatique.

Coche la couleur que tu as le mieux réussie.

☐ Relève de nouveaux défis! ⟶ **exercices 12, 13 p. 77**
☐ Améliore tes performances! ⟶ **exercices 14, 15 p. 77**
☐ Prouve que tu es un champion! ⟶ **exercice 16 p. 77**

Chacun son rythme

Chacun son rythme

La phrase minimale

■ **1.** *Quiz* **Coche les phrases vraies.**

Hier, le temps était très froid.

Dans cette phrase :

☐ Il y a un attribut du sujet.

☐ Il y a un complément de verbe.

☐ Il y a un complément de phrase.

☐ Il n'y a pas de sujet.

■ **2.** *Range-verbes* **Barre les verbes qui ne peuvent pas constituer une phrase.**

viens • chante • crient • vont • connaît • ont fait
• regarde • parlez • a fini • attends • cours • avez ri
• complétais • réfléchissez • partons

■ **3.** *Bouche-trous* **Complète les phrases avec les mots proposés, puis relie ceux-ci à leur fonction.**

on • reviennent • joyeuse • une tarte aux pommes

1. .... reviennent
chaque année. •   • attribut du sujet

2. .... n'est jamais
trop prudent. •   • complément de verbe

3. Nous dégustons
.... •   • sujet

4. Elle semble .... •

■ **4.** *Chasse à l'intrus* **Barre l'intrus de chaque liste et justifie ton choix.**

1. il chante • nous rions • elle écoute • elles font

....
....

2. Il est grand. • Elle semble fatiguée. • Tu prends le train.

....
....

3. Demain elle sera présente. • Elle attend sa sœur.
• Elle lit un journal.

....
....

■ **5.** *Charade*

Mon premier est le fils d'un roi. **Mon deuxième** permet de couper du bois. **Mon troisième** est le contraire de sombre. **Mon quatrième** ne dit pas la vérité. **Mon tout** est un complément de phrase à intégrer ci-dessous.

Réponse : ....

Phrase : Je voudrais .... dire que tout ceci est extraordinaire.

■ **6.** *Pyramide* **Complète la pyramide à l'aide des définitions, puis complète les phrases. Souligne ensuite en bleu les attributs du sujet et en rouge les compléments de verbe.**

1. Contraire de mou 2. Procédé de renard 3. Se mange au dessert 4. Contraire de lent 5. Contraire de départ 6. Permet de se déplacer

a) Voulez-vous une pomme ou un autre .... ?
b) Elles ont utilisé une .... pour entrer.
c) Ce fauteuil semble .... comme de la pierre.
d) Une voiture est un .... à moteur.
e) Tu ne pourrais pas être un peu plus .... ?
f) Je ne m'attendais pas à ton ....

Le sujet et son accord avec le verbe

■ **7.** *Quiz* **Coche les phrases correctes.**

1. Ta sœur et toi sont de la même taille.   ☐
2. Ta sœur et toi êtes de la même taille.   ☐
3. Est-ce vous qui partez les premiers ?   ☐
4. Est-ce vous qui partent les premiers ?   ☐

8. Méli-mélo Complète le début des phrases avec le sujet et le verbe qui conviennent.

Sujets : je • tu • Charles et toi • François et Louis
• il • elle et moi

Verbes : as attaché • mangerai • irons • économiserez
• aimeraient • racontera

1. .... des histoires.

2. .... lire plus souvent.

3. .... ton vélo à la grille.

4. .... tout !

5. .... à la piscine.

6. .... pour partir en Chine.

9. Labo des mots Complète par des verbes de ton choix au présent. Attention aux accords !

1. Pourquoi .... -tu si heureux ? Que .... -tu faire ?

2. Tout le monde .... ses conditions avant de signer un contrat.

3. On ne .... pas tout avoir.

4. Aucun d'entre vous ne .... à apporter un cadeau.

5. Je sais d'où .... les cris.

10. Remue-méninges Complète les phrases par un sujet de la classe grammaticale indiquée.

1. Nom propre : .... est un très grand écrivain.

2. Groupe infinitif : .... les a épuisés.

3. Proposition subordonnée conjonctive : ....
.... ne m'étonnerait pas.

11. QCM Coche la bonne réponse.

1. Tous ses amis ☐participe / ☐participent au cadeau.

2. Ils le ☐savent / ☐sait bien.

3. Les élèves de la classe ☐participent / ☐participe à un projet cinématographique.

4. Elle vous ☐aperçoit / ☐aperçoivent.

5. Elle nous ☐ont / ☐a attendus.

6. Il ne les ☐ont / ☐a pas vus.

L'attribut du sujet et son accord avec le sujet

12. Remue-méninges Complète les phrases à l'aide d'un de ces attributs que tu accorderas.

splendide • étourdi • faux • attentif • invraisemblable

1. Les bêtises que ton frère fait sont ....

2. Je te félicite, tu étais bien .... !

3. Ces rumeurs sont ...., ne les écoutez pas.

4. Ces toiles te paraîtront ....

5. Yvan et moi sommes très souvent ....

13. QCM Coche la bonne réponse.

	Attribut du sujet	COD
1. Ils ont appelé **tous leurs amis**.	☐	☐
2. Ils sont rentrés **épuisés**.	☐	☐
3. Ils ne **nous** ont pas prévenus.	☐	☐
4. Elle a été élue **déléguée de classe**.	☐	☐
5. Elle considère **ces jeux** comme enfantins.	☐	☐

14. Chasse à l'intrus Barre les verbes qui ne sont pas des verbes d'état.

espacer • maîtriser • être • nager • devenir • naître • paraître • régner • sembler • siéger • demeurer • faire • battre • rester • donner • avoir l'air • passer pour • s'exclamer • s'appeler • se fier • remettre

15. Remue-méninges Ajoute l'attribut du sujet qui convient.

1. C'est moi qui suis (GN) ....

2. Mon souhait est (infinitif) ....

3. Peu de temps sera (adjectif) .... pour terminer.

4. Ces robes paraissent (adjectif) ....

16. Charade

Mon premier est un article indéfini masculin singulier.
Mon deuxième est une boisson. **Mon troisième** est une note de musique. **Mon quatrième** coule dans les veines.
Tu devras utiliser **mon tout** dans une phrase de ton invention où il sera attribut du sujet.

Réponse : ....

Phrase : ....

28 Les compléments de verbe (COD, COI, COS)

J'observe

Léa demande à Tom la destination de leur voyage.

Que demande Léa ? ....

À qui ? ....

Je retiens

 A QU'EST-CE QU'UN *COMPLÉMENT DE VERBE* ?

• Un complément de verbe **précise l'action** exprimée par le verbe.

• Il ne peut être **ni déplacé, ni supprimé** sans déformer le sens de la phrase.
> *J'ai changé **la couche de mon frère**. ≠ J'ai changé.*

• Il peut s'agir d'un nom, d'un GN, d'un pronom, d'un infinitif ou d'une proposition subordonnée.
> *J'aime **les fleurs**. J'aime **dessiner**. J'aime **que tu sois à l'heure**.*

B QUELS TYPES DE COMPLÉMENTS DE VERBE DISTINGUE-T-ON ?

• Le **complément à construction directe** (ou **COD**) :
– directement rattaché au verbe (sans préposition) ;
– répond à la question *qui / quoi ?* *J'explique **la leçon**.*

• Le **complément à construction indirecte** (ou **COI**) :
– rattaché au verbe par une préposition (*à, de...*) ;
– répond à la question *à qui / à quoi, de qui / de quoi ?* *J'explique **à Marie**.*

• Certains verbes sont suivis de **deux compléments** ; dans ce cas, le second complément, toujours à construction indirecte, est appelé **complément d'objet second** (ou **COS**).
*J'explique la leçon **à Marie**.*

Je m'entraîne

1 Souligne les compléments de verbe dans les phrases suivantes.

■ **1.** Aussitôt, Tom mit sa veste. • Elle téléphone à Marie. • Mon pull a un trou.

■ **2.** Nous visitons la tour Eiffel à Paris. • Ils jouent souvent le samedi soir au Monopoly. • Pourquoi acceptes-tu chez ton chien tant d'indiscipline ?

■ **3.** Il hésite à partir en vacances. • Vous attendez que le soleil revienne. • Ils se demandent s'il fera beau.

2 Souligne les compléments de verbe et indique leur classe grammaticale.

■ **1.** J'achète une glace. .... • Nous aidons Marie. .... • Quel pantalon porteras-tu ? ....

■ **2.** Il le voit souvent. .... • Vous donnez un livre. .... • Que dis-tu ? ....

■ **3.** Il souhaite progresser. .... • Je sais que je m'impatiente trop. ....

• Ils demandent si vous voulez venir. ....

3 Souligne les COD et surligne les COI.

■ **1.** Elle nettoie la cuisine. • Il parle de son frère. • Vous n'acceptez pas les retardataires.

■ **2.** Quels cadeaux as-tu commandés pour Noël ? • Elle décide de ne pas le suivre. • Je ne pensais pas tomber malade.

■ **3.** Je rêve des kangourous aperçus hier ; je songe aussi aux éléphants. J'ai tant apprécié au zoo ces si beaux animaux !

4 Souligne en rouge les COI et en bleu les COS.

■ **1.** Nous avons envoyé un message à nos parents. • Elles jouent au ballon.

■ **2.** J'ai parlé à ma voisine. • J'ai parlé de mes vacances à ma voisine.

■ **3.** Je lui ai dit que je partais. • Je ne lui ai pas interdit de jouer sur la pelouse.

5 Classe les phrases dans le tableau suivant leur numéro.

■ **1.** J'ouvre la porte.

■ **2.** Cette attitude déplaît au principal.

■ **3.** Cette statue est une imitation.

■ **4.** Ils prennent des médicaments pour la gorge.

■ **5.** Je fais de la confiture de poire.

■ **6.** Paul semble préoccupé.

Avec COD	Avec COI	Avec attribut du sujet
....	....	....

6 Complète avec le complément demandé.

■ **1.** COD GN : L'infirmière fleurit ....

■ **2.** COI groupe infinitif : Elle s'empresse ....

■ **3.** COD proposition, COS GN : J'annonce ....

7 **J'APPLIQUE** pour lire

– [Chez vous], chacun appartient à tous les autres, n'est-ce pas ? [...] Lenina, détournant toujours la tête, fit un signe affirmatif, expira la bouffée d'air qu'elle avait retenue et réussit *à en inspirer une autre, relativement impolluée.*
– Eh bien, ici, reprit l'autre, nulle n'est censée appartenir *à plus d'une personne.*

Aldous Huxley, *Le Meilleur des mondes* (1932), traduction de Jules Castier, © Pocket (2002).

a) Souligne deux COD.

b) Indique la fonction des groupes en italique.

....

c) À quelle classe grammaticale appartiennent-ils ? ....

d) Complète la phrase par un COS.
Lenina dit la vérité ....

8 **J'APPLIQUE** pour écrire

À ton tour, imagine un monde qui soit différent du nôtre et compare-les l'un à l'autre.

Consigne
• 10 lignes
• 3 COD
• 3 COI

Coche la couleur que tu as le mieux réussie.

☐ Relève de nouveaux défis ! → exercice 1 p. 82

■ Améliore tes performances ! → exercices 2 à 4 p. 82

■ Prouve que tu es un champion ! → exercices 5, 6 p. 82 et 7 p. 83

Chacun son rythme

J'observe

Quand ils visitent la Réserve, il la trouve très différente de leur monde ! Lenina se tourne vers Bernard et lui avoue que cela la dégoûte.

D'après Aldous Huxley, *Le Meilleur des mondes* (1932), traduction de Jules Castier, © Pocket (2002).

Quel pronom est COD de *trouver* ? .... **Où est-il placé par rapport au verbe ?** ....

Quel pronom est COS d'*avouer* ? .... **Est-il construit avec une préposition ?** ....

Je retiens

 A LA PARTICULARITÉ DES PRONOMS PERSONNELS COMPLÉMENTS DE VERBE

- Les pronoms personnels compléments de verbe sont généralement placés **avant le verbe et sans préposition**. *J'achète un gâteau à mon frère.* ➡ *Je lui achète un gâteau.*
- **Exception :** les verbes à l'impératif. *Achète-lui un gâteau.*
- Certains verbes ne peuvent pas être précédés de *lui* ou de *leur*. On dit : *je pense à lui* et non **je lui pense.*

B LES PRONOMS PERSONNELS COMPLÉMENTS DE VERBE

	1re personne	2e personne	3e personne	
	direct / indirect		direct	indirect
Singulier	*me, moi*	*te, toi*	*le, la, l'* *en* (emploi partitif)	*lui* (personne) *en / y* (objet/action)
Pluriel	*nous*	*vous*	*les, eux*	*leur* (personne), *eux* *en / y* (objet/action)

*J'achète **une baguette**.* ➡ *Je l'achète.* ≠ *J'achète **du pain**.* ➡ *J'en achète.*

*Je parle **à mon père**.* ➡ *Je lui parle.* ≠ *Je joue **à la balle**.* ➡ *J'y joue.*

 C LA FONCTION D'UN PRONOM PERSONNEL COMPLÉMENT DE VERBE

- Si le pronom est *le, la, les, l'* = **COD** ou **attribut du sujet**.

  *Je crois **que Marion a téléphoné**.* ➡ *Je le crois.* = COD

- Si le pronom est *lui, leur, y* = **COI** ou **COS**.

  *Je réfléchis **à ce que tu m'as dit**.* ➡ *J'y réfléchis.* = COI

Je m'entraîne

1 Souligne les compléments de verbe, puis remplace-les par un pronom personnel.

1. J'ai apporté un gâteau. .... • Elle voit les enfants. ....

2. Le chien obéit à son maître. .... • Je joue au ballon. ....

3. Je veux des bonbons. .... • J'offre des fleurs à ma mère. ....

2 Remplace les groupes en gras par un pronom personnel.

Attention, *en* et *y* ne peuvent pas remplacer des personnes.

1. Parle gentiment **à ta sœur**. .... • Regarde **cette photo**. ....

2. Je pense souvent **à mon grand-père**. .... • Je pense **à ce jour**. ....

3. Je me souviens **de ces professeur**s. ....

3 Souligne les pronoms COD et surligne les pronoms COI.

Le pronom *en* s'emploie pour remplacer les COD précédés d'un partitif ou les COI précédés de la préposition *de*.

1. Je le regarde. • Nous lui racontons. • Elle leur explique. • Tu les envies.

2. J'y pense. • Elle le croit. • Vous n'y faites pas attention. • Ils l'invitent toujours.

3. Il en achète souvent. • Nous n'en parlons jamais. • Il en hérite. • Elle en écoute le soir.

4 Indique entre parenthèses la fonction des groupes en gras, puis réécris les phrases en les remplaçant par un pronom.

1. J'ai demandé **au professeur** .... **ma note** ....

....

2. Il a offert **une nouvelle robe** .... **à sa petite amie** ....

....

N'oublie pas d'accorder le participe passé si besoin.

3. Ils ont parlé **de leurs projets de vacances** .... **à leurs parents** ....

....

5 Réécris les phrases suivantes en remplaçant les pronoms en gras par des groupes nominaux ou des infinitifs. Indique chaque fois s'ils sont COD, COI ou COS.

1. J'**y** tiens. ....

2. Il **leur en** sert. ....

3. Tu **le lui** donnes. ....

6 **J'APPLIQUE** pour lire

Bernard et Lenina poursuivent la visite de la Réserve. À ce moment, leur guide reparut, et, leur faisant signe de le suivre, les conduisit le long de l'étroite rue, entre les maisons [...] s'arrêta au pied d'une échelle, leva la main verticalement en l'air, puis **la** lança horizontalement en avant. Ils gravirent l'échelle, franchirent *une porte* et entrèrent *dans une pièce sentant la fumée*, la graisse brûlée et les vêtements qu'on a portés longtemps sans **les** laver.

Le Meilleur des mondes, op. cit.

a) Souligne deux pronoms personnels compléments remplaçant *Bernard et Lenina*, puis indique leurs fonctions.

....

b) Quels mots remplacent les pronoms en gras ?

....

c) Par quels pronoms pourrais-tu remplacer les deux noms en italique ? ....

7 **J'APPLIQUE** pour écrire

Raconte à ton tour une visite dans un lieu mystérieux.

Consigne
• 10 lignes
• 5 pronoms COD
• 2 pronoms COI

Coche la couleur que tu as le mieux réussie.

Relève de nouveaux défis! ⟶ exercices 8, 9 p. 83
Améliore tes performances! ⟶ exercices 10, 11 p. 83
Prouve que tu es un champion! ⟶ exercices 12, 13 p. 83

Chacun son rythme

Les compléments de verbe (COD, COI, COS)

1. Quiz Coche les phrases vraies.

1. Les compléments de verbe sont déplaçables. ☐

2. Les compléments de verbe précisent l'action exprimée par le verbe. ☐

3. Les compléments de verbe sont supprimables. ☐

4. Le COD et le COI sont des compléments de verbe. ☐

5. Le COS est supprimable. ☐

2. Chasse à l'intrus Barre les phrases qui n'ont pas de complément de verbe.

Le matin, il court. • J'aime le chocolat. • Ils s'embrassent. • Tu te soucies de ton travail. • Elle mange parce qu'elle a faim. • Ils ont participé à la course. • Je rêve d'une douche chaude. • Quand nous sommes fatigués, nous dormons. • Je parle à mes amis. • Il raconte son histoire. • Je chante un opéra. • Souvent, il se promène. • Nous prenons un café. • Pourquoi veux-tu partir ? • À la mer, je me baigne.

3. Range-mots Classe les compléments de verbe dans la bonne colonne.

J'ai donné des conseils à mon ami. • Il envisage de travailler. • Tu penses qu'il fera beau. • Nous avons envoyé une lettre à nos grands-parents. • Elle promène son chien. • Vous participez au concours. • Tu sollicites son attention. • Je prends le train. • Vous collaborez à un journal.

COD	COI	COS

4. Labo des mots Souligne les COD, surligne les COI et barre les attributs du sujet.

1. Elles étaient belles.

2. Je range ma chambre.

3. Il accompagne Marianne au cinéma.

4. Vous semblez heureux.

5. Tu accepteras sa décision.

6. Elle téléphone au proviseur.

7. Je me confie à mes amis.

8. Elles n'aiment pas la viande saignante.

9. Chloé portait un pantalon rouge.

10. Ils paraissaient contents.

5. Bouche-trou Complète les phrases avec le complément demandé.

1. Je joue (COD) ....

2. Je joue (COI) ....

3. Je pense (COD) ....

4. Je pense (COI) ....

5. Je cherche (COD) ....

6. Je cherche (COI) ....

6. Grille Trouve dans cette grille six compléments de verbe que tu utiliseras dans les phrases en précisant à chaque fois leur fonction.

S	A	U	C	E	P
E	E	I	H	X	O
L	O	A	J	G	R
M	Q	T	U	L	T
A	D	H	L	J	E
N	O	T	E	W	R

1. Je n'ai pas apprécié cette ....

2. Elle s'attendait à une meilleure ....

3. Aide-moi à .... ce ....

4. Passe- .... le ....

7. *Charade*

Quand il n'y a plus de place dans un hôtel, on indique **mon premier** sur la porte. Si tu ne dis pas la vérité, tu fais **mon second**. **Mon troisième** est le double de un. **Mon quatrième** est une couleur. **Mon cinquième** est une onomatopée marquant le dégoût. **Mon tout** est l'objet de ces exercices.

Réponse : ....
....

Les pronoms personnels compléments de verbe

8. *Vrai ou faux* **Coche les phrases vraies.**

1. Les pronoms compléments ne se construisent jamais avec une préposition. ☐

2. Les pronoms personnels compléments sont généralement placés avant le verbe. ☐

3. Le pronom personnel complément de la 3e personne a des formes multiples. ☐

4. Le pronom personnel complément de la 1re personne varie s'il est COD ou COI. ☐

9. *Chasse à l'intrus* **Barre les pronoms personnels qui ne peuvent pas être compléments.**

lui • me • la • tu • nous • en • ils • lui • se • je • leur • te • il • le • on • les • y • vous

10. *Range-mots* **Classe les mots par leur numéro dans la bonne colonne.**

1. Je **le** mange. • 2. Il **en** parle. • 3. Nous **te** voyons. • 4. Ils **nous** en veulent. • 5. Elle **se** lave. • 6. On **en** achète. • 7. Vous **y** croyez. • 8. Je **vous** rencontrerai. • 9. Elles **les** poursuivent. • 10. Tu **leur** as dit. • 11. Ils **lui** offrent.

COD	COI
....	....
....	....
....	....

11. *Méli-mélo* **Remplace les groupes en gras par les pronoms ci-dessous. Précise à chaque fois leur fonction.**

en • le • le • l' • les • lui • leur • leur • y • y

1. Tu ne penses pas **ce que tu dis** ! Tu ne .... penses pas !
....

2. Je t'oblige **à faire la vaisselle**. Je t'.... oblige.

3. Nous encourageons Marc **à s'investir davantage**. Nous l'......... encourageons. ....

4. Vous conseillez **à vos amis cet itinéraire**. Vous .... conseillez.

5. Pourquoi souhaite-t-il **à son frère de nombreux malheurs** ? Pourquoi .... souhaite-il ?

6. Il fournit **du papier à ses élèves**. Il .... fournit.
....

12. *Devinette* **Barre tous les pronoms personnels compléments de verbe (à l'exception du pronom en gras), tu trouveras l'énoncé d'une devinette que tu devras résoudre.**

Quelleuranimalluianoussixvouspattesnousetmoimarche lessuren**la**ytête ?

Devinette : ....
....

Réponse : ....

13. *Charade* **Résous la charade. Puis utilise mon tout dans les phrases, indique sa fonction et remplace-le par un pronom personnel.**

Mon premier est une couleur. **Mon second** est la 3e personne du singulier au subjonctif du verbe luire. **Mon troisième** est un pronom complément qui peut être COD ou COI. **Mon tout** scintille la nuit.

Réponse : ....

1. J'ai trouvé un .... dans mon jardin.
....

2. Ne donne pas de salade à un ....
....

30 Les compléments de phrase (1)

Pendant trente ans, inlassablement, à l'aide d'une seule tige de fer, le berger Elzéard Bouffier a planté des milliers d'arbres **sur les collines arides de Provence.**

Jean Giono, *L'homme qui plantait des arbres*, © Éditions Gallimard (1953).

Parmi les compléments circonstanciels en gras, lequel donne une indication de lieu? ....
.... **De temps?** ....
De manière? .... **De moyen?** ....
Si tu les supprimes, la phrase conserve-t-elle un sens? ....

Je retiens

 A QU'EST-CE QU'UN COMPLÉMENT DE PHRASE?

- Le complément de phrase ne **complète** pas le verbe mais **l'ensemble de la phrase.**
- Il peut donc être en général **déplacé ou supprimé.**
- Il apporte des **précisions** sur les circonstances de l'action concernant:
– le **temps** (CCT): quand? Combien de temps? À quelle fréquence? *Il a attendu deux heures.*
– le **lieu** (CCL): où? *Il travaille à Londres.*
– la **manière** (CCma): comment? *Il regarde avec attention.*
– le **moyen** (CCmo): avec quoi? Par quel moyen? *J'écris avec un stylo.*
– **avec qui l'action est faite** (CC d'accompagnement): avec qui? *Je pars avec ma sœur.*

B QUELLES SONT LES CLASSES GRAMMATICALES DES COMPLÉMENTS DE PHRASE?

- **GN** (souvent avec préposition): *cette nuit* (CCT), *dans la plaine* (CCL).
- **Pronoms** (avec ou sans préposition): *j'y vais* (CCL), *après cela* (CCT).
- **Adverbes**: *ici* (CCL), *hier* (CCT), *naturellement* (CCma).
- **Groupes infinitifs prépositionnels**: *avant de partir* (CCT).

C COMMENT FORME-T-ON LES ADVERBES DE MANIÈRE?

- Les compléments de manière sont souvent des **adverbes formés sur des adjectifs qualificatifs**:
– **Féminin de l'adjectif + -ment**: *heureusement.*
– **Masculin des adjectifs en -i, -u, -é + -ment**: *aisément, absolument.*
– **Radical de l'adjectif en -ant / -ent + -amment, -emment**: *brillamment, prudemment.*

Je m'entraîne

1 Indique la fonction des compléments de phrase en gras.

1. **Après avoir triomphé**, il a évoqué ses exploits **simplement**. ....

2. **Souvent**, il comprend **bien** mais il faut lui expliquer **longtemps**. ....

3. **Après avoir dîné**, ils sont repartis **en voiture avec Nathalie**. ....

2 Souligne les CC introduits par *avec* ou *sans* et relie-les à leur fonction.

1. Il est venu sans se presser.   •   • CCma

2. Il est parti en vacances avec un ami. •

3. Elle s'exprime avec aisance.   •   • CCmo

4. Ce tableau a été peint avec une éponge. •

5. Cet acrobate travaille sans filet.   •

6. Ils sont sortis sans moi.   •   • CC d'accompagnement

3 Complète les phrases à l'aide des compléments de phrase indiqués.

1. J'ai rencontré une amie (CCT, GN) ....

2. J'ai ouvert la porte (CCma, adverbe) ....

3. J'ai ouvert la porte (CCmo, GN prépositionnel) ....

> On appelle **GN prépositionnel** un GN introduit par une préposition.

4 Forme des adverbes de manière à partir des adjectifs suivants.

1. grand : .... • doux : .... • réel : ....

2. poli : .... • amer : .... • vif : ....

3. fréquent : .... • suffisant : .... • violent : ....

5 **J'APPLIQUE** pour lire

Il ne s'était pas du tout soucié de la guerre. Il avait imperturbablement continué à planter.
Les chênes de 1910 avaient alors dix ans et étaient plus hauts que moi et que lui. Le spectacle était impressionnant. J'étais littéralement privé de paroles et, comme lui ne parlait pas, nous passâmes tout le jour **en silence** à nous promener dans la forêt [...]. Tout était sorti des mains et de l'âme de cet homme, sans moyens techniques. Il avait suivi son idée, et les hêtres qui m'arrivaient aux épaules, à perte de vue, en témoignaient.

L'homme qui plantait des arbres, op. cit.

a) **Encadre deux adverbes de manière et indique l'adjectif sur lequel ils sont formés.** ....

....

b) **Souligne trois GN CCL.**

c) **Indique la classe grammaticale et la fonction du groupe en gras puis remplace-le par un adverbe de même sens.** ....

d) **Relève un CCmo et indique sa classe grammaticale.** ....

....

6 **J'APPLIQUE** pour écrire

Il t'est déjà arrivé de suivre obstinément une idée.
Dans quelles circonstances ? Que s'est-il passé ?

Consigne
• 10 lignes
• 1 CCT, 1 CCL, 1 CCma
• 1 CCmo et 1 CC d'accompagnement

Coche la couleur que tu as le mieux réussie.

☐ Relève de nouveaux défis ! ⟶ exercices 1, 2 p. 88
☐ Améliore tes performances ! ⟶ exercices 3, 4 p. 88
☐ Prouve que tu es un champion ! ⟶ exercices 5, 6 p. 88 et 7 p. 89

Chacun son rythme

31 Les compléments de phrase (2)

J'observe

Grâce à l'action d'un homme déterminé, le désert s'est changé en forêt, comme par miracle.

Jean Giono, *L'homme qui plantait des arbres*, © Éditions Gallimard (1953).

Souligne les compléments de phrase.

Pourquoi le désert s'est-il changé en forêt ? ....

À quoi cette renaissance est-elle comparée ? ....

Je retiens

Les CC de cause, conséquence et but indiquent des **liens logiques** entre deux actions,
le CC de comparaison établit un **lien de ressemblance** entre deux réalités.

A COMMENT LES RECONNAÎTRE ?

- **Cause** : répond à la question *pourquoi ? Il est arrivé en retard **à cause de la grève**.*
- **Conséquence** : indique le résultat d'une action. *Il a **tellement** couru **qu'il était très essoufflé**.*
- **But** : exprime une intention, un objectif. *Il a rangé sa chambre **pour te faire plaisir**.*
- **Comparaison** : rapproche deux réalités pour montrer leurs différences ou leurs ressemblances.
*Elle est entrée **comme un ouragan**.*

B QUELLES SONT LEURS CLASSES GRAMMATICALES ?

- **GN, pronom** ou **infinitif** introduits par une préposition :
– **Cause** : *à cause de, en raison de, grâce à, par, du fait de, pour…*
– **Conséquence** : *à, au point de, assez… pour, trop… pour, jusqu'à…*
– **But** : *pour, afin de, en vue de, de crainte de, de peur de…*
– **Comparaison** : *à la manière de, contrairement à…*
- **Proposition subordonnée conjonctive** introduite par :
– **Cause** : *parce que, puisque, comme…*
– **Conséquence** : *de sorte que, si bien que, si… que, tellement… que…*
– **But** : *pour que, afin que, de peur que, de crainte que…*
– **Comparaison** : *comme, de même que, ainsi que…*

Je m'entraîne

1 Souligne les CC de cause et surligne les CC de conséquence.

 1. Grâce à ses efforts, il a réussi. • Il s'est perdu à cause de son étourderie.

 2. Il est trop petit pour comprendre. • Il a tellement mangé qu'il s'est rendu malade.

 3. Il est énergique au point de soulever des montagnes. • Cette plante ne se développe pas faute de clarté. • Ce vase est si précieux que nous n'osons pas y toucher.

86

2 Indique la valeur de chaque CC en gras.

1. Il part tôt **pour ne pas conduire la nuit**. •

2. Il est content **parce qu'il a eu une bonne note**. •   • but

3. Il travaille **comme un fou**. •   • cause

4. Elle court **à perdre haleine**. •   • conséquence

5. On m'a appelé **par erreur**. •   • comparaison

6. Il rentre **de peur d'une averse**. •

3 Souligne les CC introduits par *pour* et complète leur fonction.

1. Il court pour ne pas rater son train. ....

2. Il a été puni pour avoir désobéi. ....

3. Nous partirons tôt pour arriver avant la nuit. ....

4. Pour avoir trop attendu, le lièvre n'a pas rattrapé la tortue. ....

5. Il y a assez de pommes sur l'arbre pour faire une tarte. ....

6. Il est trop poli pour être honnête. ....

> *Pour + infinitif passé = cause ; assez ou trop... pour = conséquence.*

4 Complète ces phrases à l'aide de CC en respectant les consignes.

1. Il est en retard COMPARAISON ....

2. Elle est en retard CAUSE ....

3. Il se dépêche de BUT ....

4. Elle se dépêche CAUSE ....

5. Il me parle COMPARAISON ....

6. Elle me parle CONSÉQUENCE ....

5 **J'APPLIQUE** pour lire

J'eus peur qu'il vînt pour me reprocher mon indiscrétion mais pas du tout, c'était sa route et il m'invita à l'accompagner [...]. Il avait perdu son fils unique, puis sa femme. Il s'était retiré dans la solitude où il prenait plaisir à vivre lentement avec ses brebis et son chien. Il avait jugé que ce pays mourait en raison du manque d'arbres.

D'après Jean Giono, *L'homme qui plantait des arbres*,
© Éditions Gallimard (1953).

a) Souligne un CC de but. Indique sa classe grammaticale. ....

b) Surligne un CC de cause. Indique sa classe grammaticale. ....

c) Complète ces débuts de phrases extraits du texte par le CC demandé.

Il avait perdu son fils unique, puis sa femme (+ CC de conséquence) ....

Il m'invita à l'accompagner (+ CC de comparaison) ....

6 **J'APPLIQUE** pour écrire

Il t'est déjà arrivé de te montrer curieux ou indiscret. Raconte dans quelles circonstances. Quelles en furent les conséquences ?

Consigne
• 15 lignes
• 4 CC (1 cause, 1 conséquence, 1 but, 1 comparaison)

Chacun son rythme

Coche la couleur que tu as le mieux réussie.

☐ Relève de nouveaux défis! ⟶ exercices 8, 9 p. 89

▨ Améliore tes performances! ⟶ exercices 10, 11 p.89

■ Prouve que tu es un champion! ⟶ exercices 12, 13 p.89

Chacun son rythme

Les compléments de phrase (1)

1. Quiz Coche les phrases vraies.

1. Les CC sont des compléments de verbe. ☐

2. Les CC sont des compléments de phrase. ☐

3. Les CC de manière répondent à la question *comment ?* ☐

4. Les CC sont toujours des GN. ☐

2. Range-mots Range les mots ou groupes de mots suivants par leur numéro dans la bonne colonne.

1. ici • 2. demain • 3. bien • 4. avec moi • 5. là-bas • 6. rapidement • 7. avec un stylo • 8. loin • 9. bientôt • 10. sans filet • 11. avec joie • 12. hier • 13. tous les jours • 14. sans mes parents

Lieu	Temps	Manière	Moyen	Accompagnement
....	....	....	....	....
....	....	....	....	....

3. Grille Trouve dans cette grille six mots qui te permettront de compléter les phrases. Précise à chaque fois leur fonction exacte.

L	À	R	I	O	S
E	T	N	D	Q	O
V	I	T	E	X	E
Y	N	É	C	F	U
W	L	L	T	J	R
C	L	A	S	S	E

1. Les élèves entrent dans la ....

2. Ils sont repartis très ....

3. Je viendrai avec ma ....
....

4. Ils ont ouvert avec leur ....

5. Je ne resterai pas ...... longtemps.

6. Le ...... , il faisait très frais.

4. Chasse à l'intrus Barre les groupes en gras qui ne sont pas des CC.

1. **Demain**, nous ferons **nos valises rapidement**.

2. **Ici** ,vous pourrez faire **du sport quotidiennement**.

3. Ils sont restés **là très longtemps**.

4. Fais **attention** de ne pas blesser **ton petit frère avec ce bâton**.

5. **Nos parents** viendront **à la campagne avec nous**.

5. Labo des mots Réécris ces phrases avec les compléments de phrase demandés.

1. Le temps est très chaud + 1 GN CCT et 1 GN CCL.
....
....

2. Nous nettoierons le sol + 1 adverbe CCT et 1 GN CCmo.
....
....

3. Elle a eu le temps de faire cette randonnée + 1 infinitif CCT, 1 GN CC d'accompagnement et 1 adverbe CCma.
....
....

6. Pyramide Trouve les adjectifs qualificatifs correspondant aux définitions puis transforme-les en adverbes de manière.

1. Égal à zéro • 2. Pas rapide • 3. Un peu froid ou venant d'être fait • 4. Pas difficile • 5. Ne prenant pas de risque • 6. Qui se produit souvent 7. Juste assez

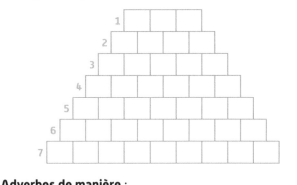

Adverbes de manière : ....
....
....

7. Lettres mêlées **Remets les lettres dans l'ordre pour retrouver les compléments de ces phrases. Indique ensuite leur fonction exacte.**

1. (TIANENMTAN) ...., nous rentrons en (GENRALTERE) ....

2. Faites vos bagages (TEANRPDIME) .... (TANVA ED ITROSR) ....

3. Ne reste pas (SHEROD) .... (DANUQ LI TLUEP) ....

Les compléments de phrase (2)

8. Quiz **Coche les phrases vraies.**

1. Les CC de cause répondent à la question *pourquoi ?* ☐

2. Les CC de conséquence et de but répondent à la question *comment ?* ☐

3. Les CC de but sont souvent introduits par *pour*. ☐

4. Les CC de comparaison sont souvent introduits par *comme*. ☐

9. Range-phrases **Classe par leur numéro les groupes en gras.**

1. **Comme il pleut**, nous ne sortons pas. 2. Ils viennent **pour prendre des renseignements**. 3. Elle nage **comme un poisson**. 4. Il a mangé **au point de se rendre malade**. 5. Il était en retard **parce qu'il n'avait pas entendu son réveil**. 6. Elle travaille **pour faire plaisir à ses parents**. 7. Je resterai **plus que toi**. 8. Il court **à perdre haleine**.

Cause	Conséquence	But	Comparaison

10. Chasse à l'intrus **Barre l'intrus de chaque liste et justifie ton choix.**

1. à cause du froid • en raison du mauvais temps • pour mieux voir

....

2. afin de vous rencontrer • comme un fou • en vue des élections

....

3. comme toi • de crainte d'une mauvaise rencontre • plus que tous les autres

....

11. Méli-mélo **Complète les phrases avec un des compléments proposés, dont tu indiqueras la fonction exacte.**

comme une furie • pour réussir son gâteau • à cause d'une panne • si bien que l'on n'entendait plus rien • parce qu'il a oublié ses clés • de peur d'une tempête

1. Julie s'est précipitée dans la maison ....

....

2. Elle a rassemblé tous les ingrédients ....

....

3. Elles sont arrivées en retard ....

....

4. Tout le monde parlait en même temps

....

5. Il est resté sous la pluie ....

....

6. Nous avons rangé les tables ....

....

12. Remue-méninges **Complète ces phrases à l'aide des CC demandés.**

1. Elle est tombée (+ GN CC de cause) ....

....

2. Nous avons couru (+ proposition subordonnée CC de conséquence) ....

3. Nous ne sortons pas (+ infinitif CC de but) ....

....

4. Tu es fort en maths (+ pronom CC de comparaison)

....

13. Messages secrets **Dans la liste 1, trouve six adjectifs, dans la liste 2, trouve six animaux. Utilise-les pour trouver six comparaisons en utilisant *comme*.**

Liste 1: routemalinenfantfiervélofriségâteaudouxécole têtuvoiturefort

Liste 2: ordinateurmoutonjeubœufstylopaonlivremule mangersingetiroiragneau

....

....

....

....

Je sais reconnaître les différentes propositions

J'observe

Il aime les voyages. Le personnage *dont tu lis les histoires* aime *que le voyage s'offre à lui.*

Souligne le verbe conjugué dans la première phrase.

Encadre les verbes conjugués dans la deuxième phrase.

Surligne les mots qui introduisent les deux propositions en italique.

Je retiens

A COMMENT RECONNAÎTRE LES INDÉPENDANTES?

• Elles ont un **sens complet**.

Nous avons fait un beau voyage.

• Elles peuvent être **coordonnées ou juxtaposées** entre elles.

B COMMENT RECONNAÎTRE LES PRINCIPALES?

• Elles ont souvent **un sens complet**, une ou plusieurs subordonnées dépendent d'elles.

*Quand tu sortiras du collège, **tu passeras à la boulangerie**.*

C COMMENT RECONNAÎTRE LES SUBORDONNÉES?

• Elles sont **introduites par un subordonnant** et n'ont **pas de sens complet**.

• On distingue:

– **Les subordonnées relatives**, qui complètent un nom (▶ fiche 7). Leur fonction est **complément de l'antécédent**. *Le livre **dont je t'ai parlé.***

– **Les subordonnées conjonctives** introduites par *que*, qui complètent un verbe. Leurs fonctions sont **sujet, attribut du sujet, COD**. *Je sais **qu'il est arrivé.***

– **Les subordonnées qui complètent la phrase** et qui sont compléments circonstanciels. Leurs fonctions sont **CC de temps, cause, conséquence, but**… *Dès qu'il m'a vu, il a souri.*

Je m'entraîne

1 Transforme ces propositions juxtaposées en propositions coordonnées.

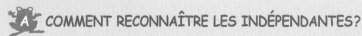 **1.** Il entre, sort, repart. ....

 **2.** Je prends le bus; ma voiture est en panne. ....

3. Il a hurlé, nous n'avons rien entendu. ....

2 Entoure le verbe principal et souligne les subordonnées.

   1. Le maître veut que tu assumes tes choix.

   2. Bien qu'il soit dépassé par les événements, il n'abandonne pas !

   3. Moi qui suis angoissée par l'obscurité, j'ai peur de me perdre, puisqu'il fera bientôt nuit.

3 Entoure le mot subordonnant, souligne la subordonnée puis coche la bonne case.

	Complète un nom	un verbe	la phrase
1. L'ours que tu aperçois pourrait nous attaquer !	☐	☐	☐
2. Après que l'homme est passé, il a pris son sac.	☐	☐	☐
3. Je ne crois pas que tu puisses comprendre.	☐	☐	☐

4 Indique la classe grammaticale et la fonction des subordonnées en gras.

   1. Je crois **qu'il a battu son record**. ....

   2. **Qu'il arrive avant mo**i serait étonnant. ....

   3. Le plus important est **que nous ayons pu participer à cette épreuve**. ....

....

5 Souligne les subordonnées compléments de phrase puis indique leur fonction.

   1. Recommence jusqu'à ce que cela soit parfait. ....

   2. Puisque tu es en vacances, passe nous voir. ....

   3. Le concert était si réussi que toute la salle s'est levée pour applaudir. ....

6 **J'APPLIQUE** pour lire

Son ménage était en ordre, sa vaisselle lavée, son parquet balayé, son fusil graissé ; sa soupe bouillait sur le feu. Je remarquai alors **qu'il était aussi rasé de frais**, que tous ses boutons étaient solidement cousus, que ses vêtements étaient reprisés avec le soin minutieux **qui rend les reprises invisibles**. Il me fit partager sa soupe et, comme après je lui offrais ma blague à tabac, il me dit qu'il ne fumait pas. Son chien, silencieux comme lui, était bienveillant sans bassesse.

Jean Giono, *L'homme qui plantait des arbres*,
© Éditions Gallimard (1953).

a) **Combien y a-t-il de propositions dans la première phrase ? Quelle est leur nature ?**

....

b) **Indique la classe grammaticale et la fonction des subordonnées en gras.** ....

....

....

c) **Relève une subordonnée conjonctive CCT.**

....

....

d) **Souligne la seule phrase simple.**

7 **J'APPLIQUE** pour écrire

À ton tour, décris une maison très bien rangée, à l'image de la personne qui l'habite, ou au contraire une maison où règne le désordre, habitée par une personne très négligée.

Consigne
- 10 lignes
- 2 phrases simples
- 3 phrases complexes avec des subordonnées

Comment distinguer les différents compléments ?

Les compléments de verbe, de nom ou de phrase sont parfois difficiles à distinguer. Voici quelques points de repère pour ne pas les confondre !

Je distingue le complément de verbe COD et l'attribut du sujet

- Si on a un verbe d'état : *être, paraître, devenir, rester, vivre...* = **attribut du sujet**.
- Si on a un verbe d'action = **COD**.
- L'attribut du sujet **apporte des précisions sur le sujet** et est parfois un **adjectif qualificatif**.
- Le COD **précise l'action exprimée** par le verbe et n'est jamais un adjectif qualificatif.

*Marie me **semble** bien* pâle. *sembler* = verbe d'état et *pâle* se rapporte à *Marie* = attribut
*Paul **aime** le chocolat. aimer* ≠ verbe d'état et *le chocolat* précise ce qu'aime Paul = COD

Je vérifie que j'ai bien compris

1 Coche les bonnes réponses.

	Verbe d'état	Verbe d'action	Attribut	COD
Marie est une jolie jeune fille.	☐	☐	☐	☐
J'ai rencontré une jolie jeune fille.	☐	☐	☐	☐
Cet exercice semble difficile.	☐	☐	☐	☐
La table a l'air bancale.	☐	☐	☐	☐
Je cale la table.	☐	☐	☐	☐
Je passe pour un homme intelligent.	☐	☐	☐	☐
On admire les femmes intelligentes.	☐	☐	☐	☐

Je distingue le complément du verbe (COI) et le complément du nom (CDN) introduits par *de* ou *à* (*au, aux, du, des*)

- Si je peux supprimer le complément **sans changer le sens de la phrase** = **CDN**.
- Si le mot complété est un **nom** = **CDN**.
- Si le mot complété est un **verbe** = **COI**.

*Je me souviens **de cette journée**. complète le verbe = COI*
*C'est le meilleur moment **de la journée**. complète le nom = CDN*

Je vérifie que j'ai bien compris

2 Indique si les compléments en gras complètent un nom ou un verbe, puis s'ils sont CDN ou COI.

1. Nous admirons le cheval **à bascule**. ....
2. Ils s'intéressent **à ce beau cheval**. ....
3. L'exercice s'adresse **aux bons élèves**. ....
4. Je caresse le chien **de mon oncle**. ....
5. Je parle **à mon oncle**. ....

Je distingue COD et CCT

- Si je peux déplacer ou supprimer le complément **sans changer le sens de la phrase** = **CCT**.
- Si l'information apportée par ce complément **précise l'action** exprimée par le verbe = **COD**.
- Si ce complément **précise** le moment de l'action ou sa durée = **CCT**.

*(Le lundi matin), Marie achète **un croissant**. Le lundi matin* (CCT) peut être déplacé ou supprimé ;
un croissant (COD) précise l'action.

Je vérifie que j'ai bien compris

3 Coche les bonnes réponses pour les compléments en gras.

	Peut se déplacer	Ne peut pas	CCT	COD
Je ne dors pas **les nuits de pleine lune**.	☐	☐	☐	☐
J'endors **mon petit frère**.	☐	☐	☐	☐
Je cours **tous les matins**.	☐	☐	☐	☐
J'aime **le matin**.	☐	☐	☐	☐
Il a aboyé **toute la nuit**.	☐	☐	☐	☐

À RETENIR

- **Attribut du sujet:** après verbe d'état.
- **COD et COI:** après verbes d'action, difficiles à supprimer ou à déplacer.
- **CCT:** se déplace facilement.

J'APPLIQUE LA MÉTHODE

4 Souligne en bleu les attributs du sujet et en rouge les COD.

1. Paul garde son calme.
2. Paul reste calme.
3. Elle est tombée malade.
4. Je soigne les malades.
5. Il a été élu président.
6. Nous avons élu un président.

5 Souligne en bleu les CDN et en rouge les COI.

1. Avec mon argent de poche, j'ai acheté un bouquet de roses.
2. J'ai arrêté de collectionner les bouchons de champagne.
3. Elle s'est adressée à un excellent pâtissier pour réaliser ce gâteau au chocolat.
4. N'hésite pas à me donner ta liste de courses.
5. Je ne me souviens plus de l'adresse de Jules.
6. Elle s'étonne de ton désir de partir.

6 Souligne en bleu les COD et en rouge les CCT.

1. Il a plu toute la nuit !
2. Le matin, nous avons pris le petit-déjeuner dehors.
3. Nous apprécions les longues soirées d'été.
4. Elle a attendu toute la soirée.
5. Indique-moi l'heure.
6. L'intervention s'est poursuivie une heure.

7 Indique la fonction à côté de chaque mot en gras.

Ce matin [............], le ciel était **clair** [.....................
.............................]. Nous avons pris un **bain de soleil** [............], nous ne nous sommes pas souciés **de l'heure** [............] **du train** [............].

8 **BILAN** Lis le texte et réponds aux questions.

En 1913, ce hameau de dix à douze maisons avait trois habitants. Ils étaient sauvages, se détestaient, vivaient de chasse au piège ; à peu près dans l'état physique et moral des hommes de la préhistoire. Les orties dévoraient autour d'eux les maisons abandonnées. Leur condition était sans espoir. Il [...] s'agissait pour eux [...] d'attendre la mort : situation qui ne prédispose guère aux vertus.

Jean Giono, *L'homme qui plantait des arbres*, © Éditions Gallimard (1953).

a) **Surligne deux compléments du nom.**

b) **Souligne un attribut du sujet.**

c) **Relève deux COD.** ....

....

d) **Relève un COI.** ....

....

33 L'origine et la formation des mots

J'observe

Le Médecin malgré lui est une pièce de théâtre qui m'a beaucoup fait rire…
Notamment l'épisode des coups de bâton !

Associe chaque mot à son origine latine ou grecque :

médecin •   • *theatron* (grec)

théâtre •   • *epeisodion* (grec)

rire •   • *medicus* (latin)

épisode •   • *ridere* (latin)

Je retiens

 A D'OÙ VIENNENT LES MOTS FRANÇAIS ?

• Les mots français proviennent majoritairement des **langues de l'Antiquité**, avant tout du **latin**, mais aussi du **grec**. *Temple* → latin *templum*, *musique* → grec *mousikè*

• Certains mots français, arrivés plus tardivement dans la langue, sont empruntés à des **langues étrangères**. *confetti* → **italien**, *moustique* → **espagnol**, *week-end* → **anglais**, *yaourt* → **turc**

• L'étude de l'origine des mots s'appelle l'étymologie ; elle est souvent utile **pour bien orthographier** un mot. *temps* → latin *tempus* (cela explique pourquoi il se termine par *ps*)

 B COMMENT LES MOTS SE SONT-ILS FORMÉS ?

• Certains mots se sont formés **directement à partir de l'évolution d'un mot latin ou grec**.

   le sort → latin *sors*, *une classe* → latin *classis*

• D'autres se sont formés à partir d'**un mot déjà existant ou de son radical** auquel ont été ajoutés préfixes et/ou suffixes. On parle alors de **mots dérivés**.

   sor- → *sort, sortilège, sorcière, sorcellerie, ensorceler, ensorcellement…*

   class- → *classer, classement, classification, déclasser, surclasser, reclassement…*

• D'autres, enfin, se sont formés **par l'association de deux radicaux antiques ou de deux mots déjà existants**. On parle alors de **mots composés**.

   bibliothèque, portemanteau, tire-bouchon, pomme de terre

Je m'entraîne

1 Relie chaque mot français à son origine.

1. temple •   • *annuraaq* (inuit)

2. épithète •   • *qahwah* (arabe)

3. café •   • *was ist das* (allemand)

4. anorak •   • *epitheton* (grec)

5. morse •   • *templum* (latin)

6. vasistas •   • *morchcha* (lapon)

2 Retrouve les mots d'origine étrangère correspondant aux définitions suivantes.

▫ **1.** Pâtes allongées, souvent cuisinées à la bolognaise : ....

▪ **2.** Spectacle mettant en scène le combat d'un homme et d'un taureau : ....

▪ **3.** Boisson onctueuse faite à partir de purée de fruits : ....

3 Trouve les mots français formés à partir de l'évolution de ces mots grecs et latins.

▫ **1.** *facilis* : .... • *humanitas* : .... • *kinema* : .... • *vehiculum* : ....

▪ **2.** *nobilis* : .... • *galaxias* : .... • *mythos* : .... • *veneror* : ....

▪ **3.** *floris* : .... • *khilioi* : .... • *corpus* : .... • *manus* : ....

4 Souligne en bleu les mots dérivés et en rouge les mots composés.

presse-papier • lave-vaisselle • moulin à poivre • sac à main • déformation • inégalité • clin d'œil • enfourner • illisible • bonhomme • rapprochement • irréprochable • aujourd'hui

5 Range les mots suivants afin de former des familles de mots.

▫ **1.** emportement • déportation • portable • report • surprendre • entreprise

▪ **2.** se méprendre • maniable • manipuler • manuel • remanier • rapporter

▪ **3.** exportation • prenable • repreneur • reportage • manœuvre • manucure • manufacturer

> Une famille de mots est constituée d'un ensemble de mots formés à partir d'un **même radical**.

Famille de port(er)	Famille de pr(endre)	Famille de main
....	....	....
....	....	....
....	....	....
....	....	....

6 **J'APPLIQUE pour lire**

> SGANARELLE. – Ah ! nourrice, charmante nourrice, ma médecine est la très humble esclave de votre nourricerie […]. Tous mes remèdes, toute ma science, toute ma capacité est à votre service.
>
> Molière, *Le Médecin malgré lui* (1666).

a) Souligne deux mots de la même famille.

b) Trouve deux autres mots appartenant à cette famille. ....

c) Encadre les mots formés à partir des racines latines suivantes :

humilis, sclavus, scientia, servire.

7 **J'APPLIQUE pour écrire**

Retrouve les mots français tirés des racines latines suivantes, puis invente un court récit utilisant ces quatre mots.

> **Consigne**
> • 10 lignes

doctus : ...., *medicamentum* : ....,

discursus : ...., *habitus* : ....

Coche la couleur que tu as le mieux réussie.

▫ Relève de nouveaux défis ! ⟶ exercices 1, 2 p. 100

▪ Améliore tes performances ! ⟶ exercice 3 p. 100

▪ Prouve que tu es un champion ! ⟶ exercices 4, 5 p. 100

Chacun son rythme

34 Mots dérivés et mots composés

Sganarelle, ayant revêtu un habit de médecin, tend un **guet-apens** au père de Lucinde pour qu'elle puisse s'enfuir avec son **bien-aimé**.

Quelle est la particularité des deux mots en gras ? ....

Trouve dans le texte un mot de la même famille que *vêtu* **et** *dévêtu*. ....

Je retiens

 A COMMENT FORMER LES MOTS DÉRIVÉS ?

• Un mot dérivé se compose d'un **radical** précédé d'un **préfixe** et/ou suivi d'un **suffixe**.

• Le préfixe fait évoluer le sens du radical. Son **orthographe peut varier** en fonction du mot auquel il se rattache. *re* (à nouveau) : *re-faire, ré-élire, r-appeler*

• Le suffixe indique la **classe grammaticale** du mot.

-er, -ir, -re... ➟ verbe   *-able, -aire, -al, -eux, -ible, -if...* ➟ adjectif

-ade, -eur, -rie, -té, -tion... ➟ nom   *-ment* ➟ nom, adverbe

Mais il peut aussi faire évoluer son sens : *maison-n-**ette*** = petite maison.

• Tous les mots formés à partir d'un **même radical** constituent une **famille de mots**.

 B COMMENT FORMER ET ORTHOGRAPHIER LES MOTS COMPOSÉS ?

• Un mot composé est formé :

– par l'**association de deux racines latines ou grecques**.

> *bibliophile* ➟ *biblion, le livre + philein, aimer = celui qui aime les livres* (▶ fiche 35)

– par l'**association de deux mots français écrits en un ou deux mots liés ou non par un trait d'union ou une préposition**.

> *tire-bouchon, portemanteau, pomme de terre...*

• Le **pluriel des mots composés** dépend de la classe grammaticale des mots à partir desquels ils sont formés :

– les noms et les adjectifs s'accordent. *un coffre-fort* ➟ *des coffres-forts*

– les verbes et les mots invariables ne s'accordent pas. *un tire-bouchon* ➟ *des **tire**-bouchons*, *un arrière-train* ➟ *des **arrière**-trains*

Je m'entraîne

1 Dans les mots dérivés suivants, souligne les préfixes et les suffixes.

　　1. impersonnel • repositionnable • déstructurer • exposition • coexister

　　2. aménagement • prédire • parapluie • transporteur • consécutif

　　3. allocataire • irrésolution • arrangement • élévation • bicentenaire

2 Utilise des préfixes pour former des verbes de la même famille.

> **1. 2 VERBES** faire : ....
>
> **2. 4 VERBES** mettre : ....
>
> **3. 5 VERBES** poser : ....

3 Change le suffixe pour obtenir un mot de la classe grammaticale demandée.

> **1.** tolér**er** (nom) : ....
>
> **2.** favor**able** (verbe) : ....
>
> **3.** soci**al** (nom) : ....
>
> • raisonn**able** (verbe) : ....
>
> • cré**er** (nom) : ....
>
> • accé**der** (adjectif) : ....

4 Retrouve les mots composés correspondant aux définitions.

> **1.** Deuxième moitié de la journée, qui commence après le déjeuner : ....
>
> **2.** Outil nécessaire pour ouvrir les boîtes de conserve : ....
>
> **3.** Œuvre absolument magnifique : ....
>
> **4.** Bête étrange qui crie les nuits de pleine lune : ....
>
> **5.** Chapeau de papier ou de carton qui entoure les lampes : ....
>
> **6.** Grande maîtrise de soi-même dans une situation angoissante : ....

5 Mets au pluriel ces mots composés.

Attention ! L'adjectif *demi*, placé en **premier** dans un mot composé, ne s'accorde pas.

> **1.** un bateau-mouche : ....
>
> **2.** un essuie-glace : ....
>
> **3.** un cache-nez : ....
>
> • mon grand-père : ....
>
> • une contre-attaque : ....
>
> • une demi-heure : ....

6 🔲 **J'APPLIQUE** pour lire

> VALÈRE. – Nous tâchons de rencontrer quelque habile *homme*, quelque médecin particulier, qui pût donner quelque **soulagement** à la fille de notre maître, attaquée d'une maladie qui lui a ôté tout à coup l'usage de la langue. Plusieurs médecins ont déjà épuisé toute leur science après elle : mais on trouve parfois des gens avec des secrets **admirables**, de certains remèdes particuliers, qui font le plus souvent ce que les autres n'ont su faire.
>
> Molière, *Le Médecin malgré lui* (1666).

a) Comment les deux mots en gras sont-ils formés ? ....

....

b) Trouve pour chacun un verbe de la même famille. ....

c) À partir du mot en italique, trouve un mot composé. ....

....

....

7 🔲 **J'APPLIQUE** pour écrire

À ton tour, rédige un petit texte fantaisiste où tu réclameras un remède miraculeux pour éliminer quelque chose qui te dérange.

Consigne
• 8 lignes
• 5 mots dérivés
• 2 mots composés

Coche la couleur que tu as le mieux réussie.

🔲 Relève de nouveaux défis ! ➞ **exercices 6, 7 p. 100**

🔲 Améliore tes performances ! ➞ **exercices 8 p. 100 et 9 p. 101**

🔲 Prouve que tu es un champion ! ➞ **exercices 10 et 11 p. 101**

Chacun son rythme

35 Les radicaux grecs et latins

J'observe

Ce n'est pas grâce à la ruse orchestrée par Martine et Sganarelle, mais grâce à l'honnêteté de Léandre, que Géronte consent finalement à marier sa fille.

Quel mot vient du grec *orchestra* ? .... **Quel mot vient du latin *honestas* ?** ....

Je retiens

 A COMMENT LES MOTS SE SONT-ILS FORMÉS À PARTIR DU LATIN ET DU GREC ?

- **Mots simples** : par évolution d'un mot latin (*tempus* ➙ *temps*) ou d'un mot grec (*theatron* ➙ *théâtre*).
- **Mots composés** : par association de deux radicaux grecs, latins et français.

  quadrilatère ➙ *quadri*, quatre + *lateris*, le côté (deux radicaux latins)

  orthographe ➙ *orthos*, droit, correct + *graphô*, écrire (deux radicaux grecs)

  biodégradable ➙ grec *bios*, la vie + latin *degradatio*, la dégradation (un radical grec et un radical latin)

 B QUELLES SONT LES TRACES DE L'HÉRITAGE LATIN ?

- Dans l'orthographe :
- Les **lettres muettes** à la fin de certains mots.

  chau**d** *calidus*; cor**ps** *corpus*; fau**x** *fallax*

- Les **accents circonflexes** qui rappellent la présence d'un *-s* dans la forme latine.

  honnêteté *hon**es**tas*; hôtel *h**os**tis*; château *cas**tellum***

- Dans la compréhension du sens : les **radicaux latins** *bi-* = deux; *équi-* = égal; *prim-* = premier; *rect-* = droit; *tri-* = trois; *uni-* = un seul, etc.

 C QUELLES SONT LES TRACES DE L'HÉRITAGE GREC ?

- Dans l'orthographe :
- Les graphies -*y*- et -*th*-, -*ph*- et -*ch*- (se prononçant [k]), qui correspondaient à une seule lettre dans la forme grecque.

  or**ch**estre ➙ *orchestra*; **ph**ysique ➙ *phusis*; **th**ème ➙ *thema*

- La plupart des ***h* en début de mot** ou après un *r*.

  rhinocéros, **h**ypermarché

- Dans la compréhension du sens : les **radicaux grecs** *eu-* = bien; *hétéro-* = autre; *homo-* = semblable; *iso-* = égal; *log-* = la science, le discours; *néo-* = nouveau; *ortho-* = droit, correct; *télé-* = loin, etc.

Je m'entraîne

1 Souligne les mots simples et surligne les mots composés.

  1. limite • psychologue • sociologue • origine

  2. triangle • talent • rectangle • rectiligne • poisson

  3. tricycle • hiver • prince • bicyclette • camarade

Lorsqu'un mot s'est formé par **composition**, tu retrouves l'une ou l'autre de ses parties dans d'autres mots de la langue.

2 Parmi ces termes, souligne ceux qui viennent du latin et surligne ceux qui viennent du grec.

1. châtaigne
- philosophie
- photographie
- champ

2. voix
- nid
- hymne
- psychose

3. maître
- thérapie
- goûter
- froid

3 Trouve un mot français dont l'orthographe s'explique par les lettres en gras du mot latin ou grec dont il provient.

1. *longus* : ....
- *platus* : ....
- *photos* : ....

2. *graph*ô : ....
- *curtus* : ....
- *chronos* : ....

3. *forestis* : ....
- *psuch*è : ....
- *noctis* : ....

4 Grâce aux radicaux donnés, explique le sens de ces mots composés issus du grec.

phyt- : la plante • *thérap-* : qui soigne • *graph-* : écrire, décrire • *-phage* : qui mange • *log-* : la science, le discours • *lith-* : la pierre • *kall-* : qui est beau • *ethn-* : le peuple

1. phytothérapie : ....
- phytophage : ....

2. ethnologie : ....
- graphologie : ....

3. calligraphie : ....
- lithographie : ....

5 **J'APPLIQUE** pour lire

> SGANARELLE. – Notre apothicaire vous servira pour cette cure. [...] Il est nécessaire de trouver promptement un remède à ce mal, qui pourrait empirer par retardement. Pour moi, je n'y en vois qu'un seul, qui est une prise de fuite purgative.
>
> Molière, *Le Médecin malgré lui* (1666).

Trouve les mots du texte tirés des radicaux grecs et latins suivants, puis explique-les.

– *curare* (latin) : soigner. ....

....

– *purgare* (latin) : nettoyer. ....

....

– *apothèkè* (grec) : le magasin, la boutique.

....

....

6 **J'APPLIQUE** pour écrire

Retrouve les mots français tirés des racines grecques suivantes, puis rédige une phrase pour chacun.

Consigne
- 8 lignes
- utiliser les mots ci-contre

therapeuô : soigner ➡ ....

analusis : explication ➡ ....

pharmakon : remède ➡ ....

antibios : qui agit contre ➡ ....

Coche la couleur que tu as le mieux réussie.

☐ Relève de nouveaux défis! ⟶ exercice 12 p. 101
▨ Améliore tes performances! ⟶ exercice 13 p. 101
▨ Prouve que tu es un champion! ➡ exercices 14, 15 p. 101

Chacun son rythme

Chacun son rythme

L'origine et la formation des mots

■ **1.** Quiz **Coche les phrases vraies.**

1. La majeure partie des mots français viennent du latin et du grec ancien. ☐

2. La majeure partie des mots français sont empruntés aux langues étrangères. ☐

3. L'étude de l'origine d'un mot s'appelle l'anthropologie. ☐

4. L'association de deux mots existants forme un mot composé. ☐

■ **2.** Mots à la loupe **Souligne les mots dérivés et surligne les mots composés.**

empilement • passe-partout • portefeuille
• surnuméraire • rouge-gorge • expérimental
• défloraison • presqu'île • arc-en-ciel • mésaventure
• bande dessinée • réorientation • bonhomme
• dévastateur • accidentel • sac à main • néologisme
• couvre-feu • inconscience

■ **3.** Pyramide **Complète la pyramide avec les mots d'origine étrangère correspondant aux définitions.**

1. Calme, décontracté. **2.** Fruit à la chair verte. **3.** Maison de glace. **4.** Fruit exotique à la peau très dure. **5.** Plat à base de riz rond. **6.** Plaisir de faire les magasins

```
        ┌───┐
      1 │   │
      ┌─┴─┬─┴─┐
    2 │   │   │
    ┌─┴─┬─┴─┬─┴─┐
  3 │   │   │   │
  ┌─┴─┬─┴─┬─┴─┬─┴─┐
4 │   │   │   │   │
┌─┴─┬─┴─┬─┴─┬─┴─┬─┴─┐
5 │  │   │   │   │   │
┌─┴─┬─┴─┬─┴─┬─┴─┬─┴─┬─┴─┐
6│  │   │   │   │   │   │
```

■ **4.** Charade

Mon premier se trouve au cœur du pain. Un chien peut me menacer avec **mon second**. **Mon troisième** est un pronom indéfini. **Mon quatrième** succède à un. **Mon tout** est un mot composé grâce auquel je peux réchauffer mon déjeuner.

Réponse: ....

■ **5.** Mots mêlés **Retrouve six mots cachés dans la grille. Tu pourras ainsi former les trois mots composés nécessaires pour compléter les phrases.**

C	P	O	R	T	E
B	E	A	U	A	G
A	R	H	O	R	K
S	E	L	C	I	I
D	E	M	I	F	E

1. Parce que mon frère à moins de douze ans, il n'a payé qu'un billet .... pour entrer au musée.

2. Pendant le mois de juillet, je suis en vacances avec ma mère, mon .... et ses enfants.

3. Depuis que l'on m'a offert ce .... éléphant, je retrouve beaucoup plus vite mon trousseau au fond de mon sac.

Mots dérivés et mots composés

■ **6.** Chasse à l'intrus **Barre les mots qui ne sont pas des mots dérivés.**

embellissement • exploitation • grenade • malchanceux
• papillon • casserole • exposition • épépiner •
repositionnable • insupportable • cornichon •
additionner

■ **7.** Vrai ou faux **Coche la bonne réponse.**

	Vrai	Faux
1. Un mot composé est formé d'un préfixe, d'un radical et d'une terminaison.	☐	☐
2. Le suffixe se place à l'arrière du mot.	☐	☐
3. Le préfixe précise la classe grammaticale du mot.	☐	☐
4. Les mots composés s'écrivent le plus souvent avec un trait d'union.	☐	☐

■ **8.** Range-mots **Rends chaque mot à sa famille puis encadre l'intrus.**

comptable • raconter • comté • comptabilité • content
• décompte • vicomte • conteur • acompte • comtesse
• racontar • comptoir

Famille de *compte*	Famille de *conte*	Famille de *comte*
....	....	....
....	....	....
....	....	....
....	....	....
....	....	....

9. Méli-mélo Voici des noms composés fantaisistes ! Reconstitue les vrais noms composés.

• tire-bonheur • porte-pommes • gratte-matin
• chausson à fesse • brosse-ciel • réveille-aux-dents

....

....

10. Lettres mêlées Remets dans l'ordre les lettres pour former un mot, puis change son suffixe pour pouvoir compléter les phrases.

1. EEENVRR ....

Je ne retrouve pas mon classeur, à mon grand

....

2. OOEEIMNNCDRPSH

Paul n'est pas très .... avec son ami,
il n'accepte pas sa tristesse.

3. HBSDRNTAEE ....

Il y a des pissenlits plein ses allées, Pierre décide

de ....

4. IERANRNOS ....

Ce n'est pas .... de sortir

en tee-shirt sous la pluie.

11. Devinette Barre tous les mots qui ont un préfixe pour trouver l'énoncé d'une devinette que tu devras résoudre.

Imposantimprobableréécrirequellesrepartirsoupesersont
suspendreconjointementlesapposition
prédictionlettresillettrismetransformationlesembarque
mentplusdéveloppertravailleuses ?

Devinette : ....

Réponse : ....

Les radicaux grecs et latins

12. Méli-mélo Relie chaque mot à son origine grecque ou latine.

pied •   • *malakos* (grec)

naval •   • *formica* (latin)

signal •   • *inflare* (latin)

mou •   • *navis* (latin)

enfler •   • *pedis* (latin)

fourmi •   • *signum* (latin)

13. Labo des mots En t'aidant d'un dictionnaire, barre dans chaque liste les mots qui ne sont pas en lien avec le thème proposé.

1. cheval : hippique • cavalerie • hippie • caverne
• équitation • équitable

2. mer : maritime • merveille • marée • marmelade
• thalassothérapie • épithalame

3. entendre : auditoire • audacieux • audible
• acoustique • accourir • acouphène

14. Méli-mélo En t'aidant des annexes, relie chaque mot à sa signification.

logographe •   • qui écrit des discours

néologisme •   • qui mange du bois

xylophage •   • qui se trouve à la surface
                                  de la peau

épiderme •   • mot nouvellement
                                  inventé

15. Remue-méninges À partir des radicaux donnés, invente des mots correspondant aux définitions puis une phrase dans laquelle ils apparaîtront.

crypto- = qui est caché • hippo- = lié au cheval
• -phone = qui parle • -scope = qui voit

1. Qui parle la langue des chevaux : ....

....

....

2. Qui permet de voir les objets cachés : ....

....

....

36 Synonymie et antonymie

J'observe

La maison était **éclairée** toute la soirée. Elle était **illuminée**.

Y a-t-il une différence de sens entre les deux mots en gras ? ....
Donne un mot de sens contraire. ....

Je retiens

 A QU'EST-CE QUE LA SYNONYMIE ?

- Les synonymes sont des mots qui ont **le même sens** ou un **sens très proche**.
- Ils ont toujours la **même classe grammaticale**.
- On les utilise pour **définir** un mot (par exemple dans un dictionnaire) ou éviter une **répétition**.
  facile (adjectif) = *aisé* (adjectif), *solitude* (nom) = *isolement* (nom)

 B QU'EST-CE QUE L'ANTONYMIE ?

- Les antonymes sont des mots de **sens contraires**.
- Ils ont toujours **la même classe grammaticale**.
- Ils peuvent se former à l'aide d'un **préfixe**.
  grand ≠ petit, heureux ≠ malheureux
- **Remarque :** les synonymes ou antonymes peuvent appartenir à différents **niveaux de langue**.
  voiture / bagnole

Ils peuvent aussi avoir un **sens plus ou moins fort**.
  énorme / grand

Je m'entraîne

1 Trouve dans la liste un synonyme de chaque mot.

répartition • déguster • se renverser • attroupement • se disputer • noter • extraire • offrir • dévaster

1. savourer : .... • se quereller : .... • se retourner : ....

2. rassemblement : .... • inscrire : .... • proposer : ....

3. prélever : .... • partage : .... • ravager : ....

2 Trouve l'antonyme de chaque mot en lui ajoutant un préfixe.

1. ......normal • ......former • ......possible • ......croyable • ......faire

2. ......compris • ......adroit • ......personnel • ......réel • ......structuré

3. ......buvable • ......logique • ......respectueux • ......honoré • ......dire

3 Trouve parmi les mots suivants le synonyme du verbe *mettre* qui convient à chaque phrase.

disposer • revêtir • régler

1. N'oublie pas de mettre ta montre à l'heure. ....
2. Tu devrais mettre un imperméable. ....
3. C'est toi qui mettras le couvert. ....

> Dans une rédaction, évite les verbes *avoir, être, faire, mettre* et utilise des verbes plus **précis**.

4 Donne un synonyme pour chaque adjectif en gras.

1. un exposé **clair** : ....
2. une pièce **claire** : ....
3. un **curieux** personnage : ....

4. un petit frère **curieux** : ....
5. une **légère** couche de neige : ....
6. un **léger** hochement de tête : ....

5 Trouve un antonyme de chaque mot en gras.

1. J'**adore** les épinards ! ....
2. Il a passé le ballon à son **partenaire**. ....
3. Cet animal **sauvage** a un beau pelage. ....

• Ce panneau **permet** le dépassement. ....
• Cette tranche est trop **fine**. ....
• Le chauffeur a **heurté** un obstacle. ....

6 Donne deux synonymes de sens plus fort pour chaque mot proposé.

1. grand : ....
2. laid : ....
3. courageux : ....

• beau : ....
• petit : ....
• peur : ....

7 **J'APPLIQUE** pour lire

> OCTAVE. – Comme nous sommes grands amis, il me fit aussitôt confidence de son **amour** et me mena voir cette fille, que je trouvai belle à la vérité, mais non pas tant qu'il voulait que je la trouvasse. Il ne m'entretenait que d'elle chaque jour, m'**exagérait** à tous moments sa beauté et sa grâce, me louait et me parlait avec transport des charmes de son entretien, dont il me rapportait jusqu'aux moindres paroles, qu'il s'efforçait toujours de me faire trouver les plus spirituelles du monde. Il me querellait quelquefois de n'être pas assez **sensible** aux choses qu'il me venait dire, et me blâmait sans cesse de l'**indifférence** où j'étais pour les feux de l'amour.
>
> Molière, *Les Fourberies de Scapin* (1662).

a) Souligne dans le texte les mots ou expressions synonymes des mots suivants.

assurément • intimes • avec passion • parler • conduire

b) Trouve un antonyme pour chaque mot en gras.

....
....
....
....

8 **J'APPLIQUE** pour écrire

Rédige un dialogue dans lequel deux personnages n'ont pas le même avis sur un sujet.

Consigne
• Souligne six mots de ton récit
• Donne un synonyme pour trois d'entre eux
• Et un antonyme pour les trois autres

Coche la couleur que tu as le mieux réussie.

☐ Relève de nouveaux défis ! ⟶ exercices 1, 2 p. 108
◻ Améliore tes performances ! ⟶ exercices 3, 4 p. 108
◼ Prouve que tu es un champion ! ⟶ exercices 5, 6 p. 108

Chacun son rythme

37 Champ lexical et champ sémantique

J'observe

Molière était un auteur de comédie. Il jouait sur scène avec sa troupe.
Il a fait toute une **comédie** ce matin pour ne pas aller à l'école.

Souligne les mots qui se rattachent au thème du théâtre.

Le mot en gras a-t-il le même sens que dans la première phrase ? ....

Je retiens

 A QU'EST-CE QU'UN CHAMP LEXICAL ?

• Un champ lexical est un ensemble de mots ou de groupes de mots qui **se rattachent à un même thème**.

• Ces mots peuvent appartenir à des **classes grammaticales différentes**.

   Comique, se moquer, rire, une plaisanterie, ironiquement… appartiennent au champ lexical de la comédie.

• L'étude du champ lexical d'un texte met en évidence ses **thèmes principaux**.

 B QU'EST-CE QU'UN CHAMP SÉMANTIQUE ?

• Un même mot peut avoir différents sens : on dit alors qu'il est **polysémique**, du grec *poly* (nombreux) et *sémie* (sens).

• On appelle **champ sémantique** l'ensemble des sens qu'il peut prendre.

• Le verbe *souffrir* a trois sens principaux qui forment son champ sémantique :

   – *Subir des douleurs physiques ou morales.*

   – *Supporter, endurer.*

   – *Tolérer, admettre.*

• Certains mots ou expressions ont un sens qui repose sur une image ; on dit qu'ils sont figurés.

   Être dans la lune

Je m'entraîne

1 Pour chaque liste, barre l'intrus et nomme le champ lexical des autres mots.

   1. fureur • courroux • épouvante • irritation. ....

   2. terreur • angoisse • effroi • crainte • démence. ....

   3. désespoir • incertain • deuil • affliction • abattement. ....

> Pour trouver le champ lexical, tu dois trouver le thème commun à tous les mots.

2 Trouve des mots appartenant au même champ lexical que le mot proposé.

   1. 3 MOTS mer : ....

   2. 4 MOTS lumière : ....

   3. 5 MOTS nature : ....

3 Utilise chaque mot en gras dans une phrase où il aura un autre sens.

1. Il **court** tous les matins.

....

2. Nous avons **marché** toute la journée.

....

3. Ne reste pas **pieds** nus.

....

4 Utilise les mots proposés dans deux phrases où ils auront un sens différent.

1. bureau : ....

....

2. jouer : ....

....

3. compter : ....

....

5 Indique le sens des mots ou expressions en gras. Tu peux utiliser le dictionnaire.

1. Il s'est **coupé** une belle tranche de pain. ....

2. **Ne me coupe pas la parole !** ....

3. **Pose** ta valise dans le porte-bagages. ....

4. Il m'a **posé une question**. ....

5. L'**étude** de ce poème m'a beaucoup plu. ....

6. Il veut encore poursuivre ses **études**. ....

....

Pense à utiliser
le dictionnaire.

6 **J'APPLIQUE** pour lire

Léandre. – Vous saurez donc, Monsieur, que cette maladie que vous voulez guérir est une feinte (= fausse) maladie. Les médecins ont raisonné là-dessus comme il faut ; et ils n'ont pas manqué de dire que cela procédait, qui du cerveau, qui des entrailles, qui de la rate, qui du foie ; mais il est certain que l'amour en est la véritable cause, et que Lucinde n'a **trouvé** cette maladie que pour se délivrer d'un mariage dont elle était importunée.

Molière, *Le Médecin malgré lui* (1666).

a) Souligne les mots appartenant au champ lexical de la maladie.

b) Quel est le sens du mot en gras ?

....

c) Rédige une phrase où il aura un sens différent, que tu préciseras.

....

....

7 **J'APPLIQUE** pour écrire

À ton tour rédige un petit texte où tu raconteras une histoire que tu as inventée pour échapper à une situation qui te déplaisait.

Consigne
• au moins 3 mots d'un même champ lexical
• au moins 2 mots ayant deux sens différents

Chacun
son rythme

Coche la couleur que tu as le mieux réussie.

☐ Relève de nouveaux défis ! ⟶ exercices 7, 8 p. 108
▨ Améliore tes performances ! ⟶ exercice 9 p. 109
▨ Prouve que tu es un champion ! ⟶ exercices 10, 11 p. 109

38 Mots génériques et mots spécifiques

J'observe

Toute sa **famille** était là : ses *parents*, ses *frères* et *sœurs*, son *cousin*, sa *tante* et même son *trisaïeul*.

Quel est le lien entre le mot en gras et tous les mots en italique ? ....

....

Je retiens

A QU'EST-CE QU'UN MOT GÉNÉRIQUE ?

• Un mot générique a un **sens général**, il désigne un **ensemble d'objets** ou de **notions**. Il recouvre un **ensemble de mots** au sens plus **précis** et plus **limité**.

> **arbre** englobe *chêne, sapin, saule pleureur, bouleau, châtaignier, frêne, cèdre bleu de l'Atlas*
> **chapeau** englobe *haut de forme, casquette, bob, borsalino, sombrero, chapeau-melon*

B QU'EST-CE QU'UN MOT SPÉCIFIQUE ?

• Un **mot spécifique** désigne un **objet** ou un être **en particulier** : il a un **sens restreint**.

• Un mot spécifique est **toujours englobé** par un mot générique.

> *haricot, poireau, navet, chou, épinard sont des légumes*

C À QUOI SERT CETTE DISTINCTION ?

• Les mots spécifiques permettent d'être plus précis.

• Les mots génériques permettent d'éviter les répétitions.

> *Don Corleo demanda à Sylvain d'ôter son **borsalino**. Il déposa son **chapeau** sur la table.*

• Les **mots génériques** permettent également d'**annoncer des mots spécifiques**.

> *Tous les **ouvriers** se succèdent dans ce bistrot : **mécaniciens, tourneurs, chaudronniers, soudeurs ou monteurs**.*

Je m'entraîne

1 Indique le mot générique qui englobe les listes suivantes.

1. coquelicot, bleuet, rose, jonquille, rhododendron, jacinthe : ....

2. camion, vélo, moto, voiture, monocycle : ....

3. fox-terrier, épagneul, dalmatien, cocker, husky : ....

4. fourchette, couteau, cuillère, louche : ....

5. Londres, Alger, Paris, Berlin, Tokyo, Santiago : ....

6. morue, merlu, espadon, brochet : ....

2 Propose trois mots spécifiques pour chacun de ces mots génériques.

▨ **1.** oiseau: .... • sport: .... • fruit: ....

▨ **2.** meuble: .... • région: .... • chaussures:

....

▨ **3.** déesse latine: .... • habitation: .... • sens: ....

....

3 Complète le tableau suivant.

> Un mot spécifique peut être générique par rapport à un autre, encore plus précis.

animal					....	
....	chien			....		
persan	....	....	....	golden	citron	orange

4 Utilise des mots génériques afin de ne pas répéter les mots spécifiques en gras.

▨ **1.** J'aime beaucoup le **pantalon** de Julie. Ce .... lui va très bien.

▨ **2.** Toutes les pièces de cet auteur donnent à voir l'**amour** entre deux jeunes gens.
Il n'y a que ce .... qui l'intéresse.

▨ **3.** *Les Fourberies de Scapin* sera joué au théâtre de Lorient. Je suis certain
que .... sera un grand succès. **Molière** est lu par tous les collégiens de France
pour son théâtre, c'est le .... français le plus important !

> Lorsque l'on peut utiliser plusieurs mots génériques pour un même mot spécifique, il vaut mieux **choisir le plus précis**.

5 **J'APPLIQUE** pour lire

OCTAVE. – Une autre aurait paru effroyable en l'état où elle était, car elle n'avait pour habillement qu'une méchante petite jupe, avec des brassières de nuit qui étaient de simple futaine, et sa coiffure était une cornette **jaune**, retroussée au haut de sa tête, qui laissait tomber en désordre ses cheveux sur ses épaules ; et cependant, faite comme cela, elle brillait de mille attraits, et ce n'était qu'agréments et que charmes que toute sa personne.

Molière, *Les Fourberies de Scapin* (1671).

a) Surligne dans le texte un terme générique qui recouvre trois termes spécifiques (également présents dans le texte) que tu souligneras.

b) Regarde le mot en gras. Propose un terme générique dont il serait le mot spécifique. ....

6 **J'APPLIQUE** pour écrire

Décris un personnage comique, en insistant sur le ridicule de sa tenue, de ses gestes et de ses mimiques. Pour cela, tu utiliseras des mots génériques ainsi que plusieurs mots spécifiques pour chacun d'entre eux.

Consigne
• 10 lignes
• mots génériques : vêtement, expressions (du visage), postures, acrobaties

Coche la couleur que tu as le mieux réussie.

▢ Relève de nouveaux défis ! ⟶ exercice 12 p.109
▨ Améliore tes performances ! ⟶ exercice 13 p.109
▨ Prouve que tu es un champion ! ➜ exercice 14 p.109

Chacun son rythme

Synonymie et antonymie

■ **1. Quiz Coche les phrases vraies.**

1. Deux synonymes ont le même sens. ☐

2. Deux synonymes n'appartiennent pas forcément
à la même classe grammaticale. ☐

3. Deux antonymes se prononcent de la même façon. ☐

4. Deux antonymes appartiennent à la même
classe grammaticale. ☐

■ **2. Méli-mélo Remplace le mot en gras
par un synonyme de la liste (en l'accordant
ou en le conjuguant s'il le faut).**

parvenir • manquer • plancher • redonner • fréquemment

1. Elle m'a **rendu** mon livre. ....

2. Nous **sommes arrivés** à la dernière étape. ....

3. Les **sols** de la maison ont besoin d'être rénovés.
....

4. Elles **ratent souvent** la sortie. ....
....

■ **3. Jeu du pendu Trouve les antonymes
de ces mots (une lettre par tiret).**

1. joie : T _ _ _ _ _ _ _ E

2. partir : R _ _ _ _ R

3. obscur : L _ _ _ _ _ _ X

4. fin : É _ _ _ S

5. devant : D _ _ _ _ _ _ E

■ **4. Chasse à l'intrus Barre l'intrus de chaque liste
et justifie ton choix.**

Liste 1 : beau • autoriser • jouer • pleurer • permettre
• joli • rater • s'amuser • échouer

....
....
....

Liste 2 : construire • gentillesse • intéressant • démolir
• maison • ennuyeux • méchanceté

....
....
....
....

■ **5. Lettres mêlées Remets les lettres de la liste 2
en ordre pour former des couples de synonymes
avec les mots de la liste 1.**

Liste 1 : adresse • réunir • admirable • éblouir • persuader

Liste 2 : raegvlue • erovcncian • srelmrbase • élhbiaet
• eabaqrmuelr

....
....

■ **6. Pyramide Complète la pyramide à l'aide
des antonymes de ces mots.**

1. non :

2. plein :

3. fin :

4. dedans :

5. donner :

6. jamais :

Champ lexical et champ semantique

■ **7. Quiz. Coche les phrases vraies.**

1. Le champ lexical est l'ensemble des mots
qui se rattachent à un même thème. ☐

2. Le champ lexical regroupe des mots
de même classe grammaticale. ☐

3. Le champ sémantique est l'ensemble
des sens d'un mot. ☐

4. Tous les mots ont un champ sémantique. ☐

■ **8. Range-mots Range les mots dans la bonne
colonne grâce à leurs numéros.**

1. flamme. 2. fumée. 3. ballon. 4. dés. 5. trousse.
6. cheminée. 7. cahier. 8. stylos. 9. console. 10. s'amuser.
11. rire. 12. apprendre. 13. brûler. 14. réviser.
15. allumette. 16. gagner. 17. chaud. 18. livre.

Champ lexical du feu	Champ lexical du jeu	Champ lexical de l'école
....	....	....
....	....	....

9. Remue-méninges Utilise les mots de la liste pour compléter les expressions figurées. Indique ensuite leur sens.

cheveux • jambes • âne • linotte • coq

1. Ne passe pas sans arrêt du .... à l'........ . ...

....

2. Ne coupe pas les .... en quatre. ....

....

3. Il a pris ses .... à son cou.

4. Tu as encore oublié : tu es une tête de .... :

....

10. Mot mystère Trouve le mot qui peut compléter toutes ces expressions. Puis propose à chaque fois une expression synonyme.

Je n'ai pas le .... à rire ....

En avoir le .... net.

Il a le .... sur la main. ....

Elle a un .... de pierre.

Elle est jolie comme un ....

Je le connais par ....

11. Grille Trouve six mots dans cette grille, complète les phrases puis utilise chaque mot dans une phrase où il aura un autre sens.

J	O	U	R	L	E
L	O	U	R	D	H
A	L	U	N	E	X
B	D	O	S	B	N
S	M	T	A	Y	Q

1. Le .... se lève. ....

2. Cette valise est ....

....

3. La .... est un satellite de la Terre. ....

....

4. Ce bois est très ....

....

5. Ils ont fait le tour du .... à la voile.

....

6. J'ai mal dans le ....

....

12. Chasse à l'intrus Dans chaque liste, barre le mot générique qui s'est glissé parmi les mots spécifiques.

Liste 1 : Seine • Nil • Loire • Rhin • fleuve • Garonne • Mississipi • Gange

Liste 2 : pédiatre • ophtalmologiste • neurologue • médecin • cardiologue • pneumologue

Liste 3 : Paris • ville • Lyon • Marseille • Londres • New York • Bordeaux • Alger

13. Range-mots Classe les noms en trois groupes, en donnant le mot générique.

banane • gant • table • chapeau • jupe • buffet • chaise • pomme • fraise • canapé • pantalon • manteau • veste • cerise • armoire • orange • citron • robe • fauteuil

Groupe1 :	Groupe 2 :	Groupe 3 : ....
....	....	....
....	....	....
....	....	....
....	....	....

14. Grille Trouve six noms dans la grille puis, pour chaque nom, trouve trois noms spécifiques.

G	A	T	E	A	U
M	É	T	A	L	X
F	G	S	I	T	K
M	É	T	I	E	R
R	U	E	L	F	B
O	I	S	E	A	U

1. ....

2. ....

3. ....

4. ....

5. ....

6. ....

39 Je sais construire un texte et utiliser les connecteurs

Je sais utiliser les connecteurs temporels

- Pour structurer un **texte**, on utilise des **connecteurs temporels**.
- Ils permettent d'organiser le texte en situant les actions les unes par rapport aux autres.
- Ils peuvent exprimer la **succession d**es actions (*d'abord, puis, enfin…*), la **simultanéité** (*pendant ce temps…*), la **fréquence** (*souvent…*), la **durée** (*toute la semaine…*) ou la **date** (*le 31 mai…*).

1 Complète les phrases à l'aide des connecteurs temporels proposés.

après le spectacle • avant de sortir • ce jour-là • ensuite • hier • puis • souvent

▨ **1.** _____ nous sommes allés au théâtre, _____ nous avons pris un verre.

▨ **2.** _____, il est en retard mais _____ il est arrivé en avance.

▩ **3.** _____, j'ai pris mon sac, _____ j'ai fermé la porte, _____ j'ai pris le bus.

2 Complète le texte à l'aide de connecteurs temporels de ton choix.

▨ **1.** _____ nous nous sommes levés et nous nous sommes précipités sur nos vélos.
Nous avons _____ longé le bord de mer _____ nous sommes partis à la pêche.

▨ **2.** _____, il a fallu rebrousser chemin car la marée montait. _____ nous avons repris nos vélos ; _____ nous sommes allés nous baigner ____ avons pris un bon bain de soleil.

▩ **3.** _____ nous avions très faim, nous avons acheté des sandwiches et les avons dévorés.
_____ le soleil s'est caché, il a fallu rentrer. _____ la pluie commençait à tomber.

Je sais utiliser les connecteurs spatiaux

- Les connecteurs spatiaux permettent surtout d'**organiser une description**.
- Ils permettent de **suivre le regard** du narrateur ou de **situer les éléments** d'un lieu : **latéralement** (*à gauche, à droite, à côté, de l'autre côté…*), **en profondeur** (*devant, derrière, près de…*), **verticalement** (*en haut, en bas, au-dessus…*).

3 Complète les phrases à l'aide des connecteurs spatiaux proposés.

à droite de l'entrée • à gauche • à l'horizon • au fond • au milieu • derrière nous • de toutes parts
• devant nous • en haut des montagnes • par-delà

▨ **1.** _____ se trouve la cuisine, _____ la chambre et _____ le salon.

▨ **2.** _____, un précipice. _____, les fauves. _____, nous étions perdus !

▩ **3.** Ici, nous sommes en danger : _____ arrivent des chevaliers ; _____, ils affluent.
_____ et _____, ils se préparent au combat.

4 Complète le texte avec des connecteurs spatiaux variés.

▨ **1.** Je vais vous décrire ma chambre : en entrant, vous verrez _____ mon lit ;
_____ vous admirerez les posters de mes acteurs préférés.

▨ **2.** _____ se trouve mon bureau ; _____ sont entassés mes livres et mes cahiers.

▩ **3.** _____ il y a mon ordinateur. Approchez-vous de la fenêtre, vous admirerez _____
notre jardin et _____ la piscine.

Je sais utiliser les connecteurs logiques

- Les connecteurs logiques **introduisent** et **lient les arguments** visant à **convaincre**.
- Ils guident le lecteur en mettant en évidence la **logique du raisonnement** :
  – la **cause**, la **justification** : *car, parce que, en effet…*
  – l'**opposition** : *mais, pourtant, cependant, bien que, en revanche…*
  – la **conséquence** : *alors, c'est pourquoi, en conclusion, finalement…*
  – l'**addition d'arguments** : *et, de plus, ensuite, enfin, d'ailleurs, de surcroît…*

5 Complète à l'aide des connecteurs proposés.

cependant • car • donc • mais • pourtant • puis

1. Sandra a de beaux yeux .... ceux de Sarah sont magnifiques.

2. J'ai dû faire mes devoirs .... partir au conservatoire .... je n'ai pas pu faire la vaisselle.

3. J'y ai pensé .... j'ai oublié. .... je voulais le faire .... je te l'avais promis.

6 Remplace les pointillés par un connecteur logique adapté au contexte.

1. Félix s'est qualifié au championnat régional .... il a gagné le championnat départemental.

2. .... il ne compte pas s'arrêter là .... il espère participer au championnat de France. .... il s'entraîne beaucoup.

3. ...., il s'est mis à manger des légumes. ...., il ne trouve plus ça mauvais. .... il est sur la bonne voie. .... il devrait réussir.

7 **J'APPLIQUE** pour écrire

Remplace les pointillés par des connecteurs adaptés au contexte. Tu ne dois pas utiliser deux fois le même connecteur.

.... Pauline et Charlotte ont assisté à une représentation des Fourberies de Scapin. ...., elles se sont installées dans un café. La salle était grande : .... en entrant se trouvaient quelques tables déjà occupées. ...., un groupe discutait bruyamment. ...., on distinguait deux petits fauteuils autour d'une table ronde, elles s'installèrent .... Pauline était très contente de sa soirée, ... elle fait du théâtre elle-même ; .... le théâtre est son spectacle préféré. .... Charlotte n'est pas tout à fait d'accord : .... elle préfère nettement le cinéma ou les concerts.

Coche la couleur que tu as le mieux réussie.

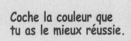

☐ Relève de nouveaux défis ! ➡ exercices 1, 2 p. 114
▦ Améliore tes performances ! ➡ exercices 3 à 5 p. 114
■ Prouve que tu es un champion ! ➡ exercices 6, 7 p. 114

Chacun son rythme

Je sais ponctuer un texte et intégrer un dialogue

Je sais utiliser les deux sortes de ponctuation

• La **ponctuation forte** est suivie d'une majuscule et marque la fin d'une phrase:

– le **point** et les **points de suspension** marquent une déclaration achevée ou non.

– les **points d'interrogation** et **d'exclamation** s'utilisent dans les phrases interrogatives ou exclamatives.

Il pleut. Que fais-tu ? Quel exploit !

• La **ponctuation faible** marque des pauses à l'intérieur d'une phrase:

– la **virgule** sépare des mots ou des groupes de mots.

– le **deux-points** annonce des paroles, une explication ou une énumération.

– le **point-virgule** sépare des propositions ayant un sens complet.

Furieuse, elle sortit. Je suis heureuse : il a gagné. Il était d'accord ; il est parti rassuré.

1 Rétablis les signes de ponctuation forte et les majuscules.

1. ....ls sont arrivés en retard......ù sont-ils passés......

2. ....ls ont apporté des tables, des chaises, des fauteuils, un parasol..........

3. ....e me demande combien ce voyage a coûté.........uelle chance c'était....

2 Rétablis les signes de ponctuation faible.

1. Hier..à l'occasion des soldes..je me suis acheté un pull..un pantalon et une veste.

2. Parfois..il reste des places à la dernière minute..j'ai téléphoné au théâtre pour savoir.

3. Admire ce spectacle..un décor somptueux..des éclairages extraordinaires et des acteurs merveilleux.

Je sais intégrer un dialogue dans un récit

• En utilisant **la ponctuation adaptée**:

– Le début du dialogue est annoncé par le **deux-points** et l'ouverture des **guillemets**.

– Le changement d'interlocuteur est marqué par un **passage** à la ligne et des **tirets**.

– La fin du dialogue est marquée par la fermeture des **guillemets**.

• En utilisant un **verbe de parole**:

– **Avant** le dialogue.

*Il **dit** : « nous arriverons demain ».*

– **Au milieu ou à la fin** avec une proposition **incise entre virgules avec sujet inversé**.

« Nous arriverons demain. » dit-il.

3 Rétablis la ponctuation des dialogues.

1. En arrivant, ma mère s'écria.....venez tous à table !..

2. ....Mes enfants, annonça mon père, demain nous allons au théâtre...

3. Ma sœur murmura:..j'ai oublié les billets.

....Prends un taxi et va les chercher !.. rugit mon frère.

4 Récris ces dialogues en modifiant la place du verbe de parole.

■ **1.** « Ne te dérange pas pour moi. » insista-t-elle.

....

■ **2.** Il m'a expliqué : « je suis en retard à cause de la grève des trains ».

....

■ **3.** J'ai rencontré Julie, elle m'a annoncé : « je déménage le mois prochain.

— J'espère que tu ne vas pas trop loin. » ai-je répliqué.

....

....

> Le **sujet** est **inversé** dans les propositions incises, lorsque le verbe ne précède pas les paroles.

Je sais varier les verbes de parole

- Il ne faut pas toujours utiliser les verbes **dire et répondre**.
- On peut :
– Utiliser des **synonymes** : *dire, annoncer, répondre, répliquer, rétorquer, repartir…*
– Préciser le **ton de la voix** : *murmurer, chuchoter, balbutier, s'écrier, hurler, vociférer…*
– Préciser l'**état d'esprit** : *avouer, admettre, suggérer, insister, hésiter, protester, oser…*

5 Remplace le verbe de parole en gras par un synonyme ou un verbe plus adapté à la situation.

> Aide-toi du **contexte** pour bien choisir le verbe de parole.

■ **1.** Nous lui avons **dit** : « nous partirons en vacances en juillet ». ....

■ **2.** Elle m'a **dit** : « ne parle pas trop fort, ton petit frère dort ». ....

■ **3.** Je lui ai **dit** : « essaie de te reposer un peu » ; elle m'a **répondu** : « je ne dors que deux heures

par nuit » ....

6 Remplace les pointillés par un verbe de parole au passé simple adapté au contexte.

■ **1.** « N'as-tu pas honte d'être encore en retard ? » .... ma sœur.

■ **2.** Elle .... : « Euh ! serait-il possible que j'emprunte votre stylo ? »

■ **3.** « Je vais te contredire, ... -je

— Tu as sans doute raison. » .... -il.

7 **J'APPLIQUE** pour écrire

Recopie ce dialogue sur une feuille en rétablissant la ponctuation, les majuscules, les passages à la ligne et en remplaçant les pointillés par un verbe de paroles autre que *dire* ou *répondre*.

cette année j'ai étudié les romans de chevalerie .... Martin et toi moi aussi .... Lucas j'ai même lu intégralement *Yvain, le Chevalier au lion* mais cette histoire ne m'a pas beaucoup intéressé je l'ai trouvée invraisemblable tu es fou c'est génial moi j'adore .... Martin j'ai demandé à ma mère de m'en acheter d'autres je vais les dévorer pendant les vacances

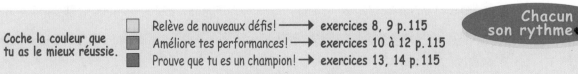

Coche la couleur que tu as le mieux réussie.

☐ Relève de nouveaux défis! ⟶ exercices 8, 9 p. 115
■ Améliore tes performances! ⟶ exercices 10 à 12 p. 115
■ Prouve que tu es un champion! ⟶ exercices 13, 14 p. 115

Chacun son rythme

Chacun son rythme

Je sais organiser un texte et utiliser les connecteurs

■ **1.** Quiz **Coche les phrases vraies.**

1. Les connecteurs rendent le texte plus facile à comprendre. ☐

2. Les connecteurs de lieu se rencontrent surtout dans les récits. ☐

3. Les connecteurs de temps se rencontrent surtout dans les descriptions. ☐

4. Les connecteurs logiques montrent l'enchaînement des idées. ☐

■ **2.** Range-mots **Classe ces connecteurs dans la bonne colonne.**

ce jour-là • ainsi • pendant ce temps • derrière
• à gauche • de toutes parts • bien que • ce matin
• c'est pourquoi • une heure plus tard

Connecteurs de lieu	Connecteurs de temps	Connecteurs logiques
....	....	....
....	....	....
....	....	....
....	....	....

■ **3.** Chasse à l'intrus **Dans chaque liste, barre l'intrus et justifie ton choix.**

Liste 1: souvent • tout d'abord • premièrement
• pourtant • finalement • ensuite

....
....

Liste 2: donc • c'est pourquoi • cependant • ainsi • car
• à côté • puisque • mais

....
....

Liste 3: en haut • en bas • souvent • loin • tout près
• au fond • au premier rang

....
....
....

■ **4.** Lettres mêlées **Remets les lettres en ordre pour trouver le connecteur manquant, précise à chaque fois le sens de ces connecteurs.**

1. (orad'bd) ...., il a hésité (sipu) .... il a réfléchi, (telnafeinm) .... il a accepté. Connecteurs ....

2. (tdaevn) ...., il y a la piscine, (à ecugha) ...., le solarium et (erirderè) .... l'aire de jeux. Connecteurs ....

3. Elle a refusé (cearp ueq) .... nous l'avions prévenue trop tard, (tedcpanen) .... elle avait très envie de venir. Connecteurs ....

■ **5.** Pyramide **Remplis cette pyramide à l'aide des connecteurs correspondant aux définitions.**

1. Lien négatif
2. Parce que
3. Ni aujourd'hui, ni demain

4. Lorsque
5. En premier lieu
6. Dans peu de temps

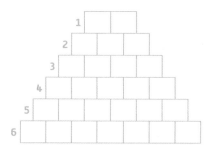

■ **6.** Remue-méninges **Remets les phrases en ordre et ajoute le nombre de connecteurs demandé.**

DEUX CONNECTEURS DE TEMPS ET UN CONNECTEUR LOGIQUE

nous pourrons dîner ensemble vers 21 h 00 • nous prendrons un taxi • nous arriverons vers 20 h 00 • nous prendrons le train de 17 h 00

....
....
....

■ **7.** Devinette **Barre tous les connecteurs, tu trouveras l'énoncé d'une devinette que tu devras résoudre.**

Quelquefoisquelsenhautsontquotidiennementles cependantchiffrestoutd'abordpréféréschaquematindes eneffetpoules?

Devinette: ....

Réponse: ....

Je sais ponctuer un texte et intégrer un dialogue

8. Quiz **Coche les phrases vraies.**

1. Une phrase commence par une majuscule. ☐

2. Elle se termine par un point ou un point-virgule. ☐

3. On met une majuscule après le deux-points. ☐

4. Les tirets marquent un changement d'interlocuteur. ☐

9. Devinette **Barre tous les signes de ponctuation, tu trouveras l'énoncé d'une devinette que tu devras résoudre.**

Quivirguledonnedeux-pointsdesréponsespoint
d'interrogationmaispoint-virgulenepointd'exclamation
parlepointsdesuspensionpas?

Devinette : ....

Réponse : ....

10. Remue-méninges **Rétablis la ponctuation et les majuscules dans ces phrases.**

1. Les enfants sont sortis _ ils n'ont fermé ni portes, ni fenêtres _ je vais me fâcher.

2. Comme tu as grandi _ Il y a longtemps que je ne t'avais pas vu.

3. Où as-tu trouvé ce magnifique bureau _ 'ai longtemps cherché le même.

4. Regarde tout ce que nous avons apporté _ des gâteaux, des glaces et des boissons.

11. Méli-mélo **Les dialogues ont été mélangés au récit. Réécris ce texte en rétablissant la ponctuation et les majuscules nécessaires.**

Ce matin j'ai rencontré Julie comme je suis contente
de te voir lui ai-je dit j'étais partie depuis six mois
en Angleterre m'a-t-elle répondu je ne suis rentrée qu'hier.

....
....
....
....
....
....
....

12. Lettres mêlées **Remets les lettres en ordre pour retrouver le verbe de parole.**

Paul m'a (éoncnao) .... : « demain, je reprends la compétition !

– C'est la troisième fois que tu le dis, lui ai-je (érotuqér) ....

– Oui, mais cette fois rien ne m'arrêtera, a-t-il (érifamf) ....

– C'est exactement ce que tu avais déclaré il y a six mois, lui (aurmiumr) .... -je à l'oreille ».

13. Grille **Retrouve dans cette grille six verbes de paroles à l'infinitif. Utilise-les pour compléter les phrases en les conjuguant au passé simple.**

R	É	P	É	T	E	R
C	R	I	E	R	E	U
T	D	Q	G	T	S	G
X	I	H	U	R	G	I
K	N	O	T	E	R	R
W	J	H	J	L	S	Z
A	V	O	U	E	R	A

1. Il .... : « c'est moi qui ai cassé la vitre ».

2. « Tu as tort, ... -t-elle pour la troisième fois. »

3. « Sortez, ... -elles pour réveiller tout le monde. »

4. Il m'avait annoncé son résultat mais il .... : « tu es la première à qui je l'annonce ».

5. « Je ne le répèterai pas une deuxième fois, ... mon père, rouge de colère. »

6. « J'ai déjà entendu cette voix, ... -t-elle en ouvrant des yeux étonnés. »

14. Charade **Résous cette charade et utilise la réponse dans une phrase.**

Mon premier est une étendue d'eau appréciée des canards, **mon deuxième** est un assemblage de lettres qui a un sens, **mon troisième** est au milieu du visage et **mon tout** est un verbe de parole.

Réponse : ....

Phrase : ....

41 Je sais éviter les répétitions

Je sais faire une reprise pronominale

• On peut **reprendre un GN** grâce à:
– un pronom **personnel**: *il, elle, lui, le, la… un cheval = il*
– un pronom **démonstratif**: *celui-ci, celle-là, cela… un cheval = celui-ci*
– un pronom **possessif**: *le mien, la tienne, les leurs… un cheval = le sien*

1 Souligne les reprises pronominales des noms en gras.

1. **Cet artiste** est extraordinaire. Il est doté d'un talent merveilleux.

2. Je n'ai pas accepté l'invitation **de Paul**. Celui-ci voulait me faire visiter un musée qui lui plaît beaucoup.

3. Cette **histoire**, je l'ai lue et j'aimerais vous la raconter pour vous la faire apprécier.

2 Remplace les GN en gras par les types de pronoms proposés.

1. PRONOM DÉMONSTRATIF Je ne retrouve pas **mes clés**, ... ont disparu depuis hier.

2. PRONOM PERSONNEL **Mon père** connaît bien cette ville, ... connaît aussi les environs, c'est .... qui rédige les guides touristiques.

3. PRONOM POSSESSIF Quel **livre** souhaites-tu lire : .... ou .... ?

Je sais faire une reprise nominale avec le même nom

• On peut reprendre un GN par un autre GN comportant:
– le même nom avec un **autre déterminant**. *un magicien = le magicien = ce magicien*
– le même nom précisé par un **adjectif**. *un magicien = ce remarquable magicien*

3 Reprends le GN en gras par le même nom, précédé d'un autre déterminant.

1. Nous avons fait **une longue promenade**. .... a duré deux heures.

2. Elles ont reçu **un colis**. .... a été déposé dans la boîte.

3. Je t'ai réservé **une surprise**. .... te fera plaisir.

4 Remplace le GN en gras par un GN comportant un autre déterminant et un adjectif.

1. La femme mit au monde **un bébé** tout potelé. .... fit le bonheur de la famille.

2. Nous venons de nous installer dans **une maison** ; .... est située au bord de la mer.

3. Avant nous vivions dans **un appartement** : dans .... nous manquions de place.

4. **Sa mère** était folle de joie. .... l'allaita neuf mois.

5. Après **cet événement**, ... attendait la famille.

6. Jules aura enfin **une chambre** ; dans .... il pourra installer son matériel de musique.

Je sais faire une reprise nominale avec un synonyme ou un nom générique

> Un nom peut être repris par un **synonyme**. *Il attend. / Il patiente.*
>
> Il peut aussi être repris par un **nom générique** (plus général). *la tulipe / la fleur*

5 Supprime les répétitions en gras en utilisant un synonyme.

1. J'aime beaucoup mon professeur de Français : c'est un excellent **professeur**. ....

2. Nous avons mangé un délicieux dessert, nous l'avons **mangé** sur la terrasse. ....

3. Un rassemblement s'est formé autour de nous ; c'est ma nouvelle moto qui avait provoqué **ce rassemblement**. ....

6 Complète par des mots génériques pour éviter de répéter les noms qui précèdent.

1. Un **chien** apparut, l'........................ se dressa sur ses pattes pour saluer son maître.

2. Ne t'appuie pas sur ce **buffet** : c'est un .... fragile.

3. Ces tuyaux sont en **plomb**. Ce .... n'est plus utilisé maintenant.

Je sais faire une reprise nominale avec une périphrase

> La périphrase est **un groupe de mots** qui caractérise un nom. *Paris : la ville lumière*

7 Trouve le mot que désignent ces périphrases.

1. l'astre du jour : ....

2. l'astre de la nuit : ....

3. la planète bleue : ....

4. l'auteur des *Fourberies de Scapin* : ....

5. la cité phocéenne : ....

6. la ville qui ne dort jamais : ....

8 Remplace les pointillés par une reprise des mots qui précèdent.

1. Hier, nous avons visité le musée du Moyen Âge : (pronom démonstratif) .... est situé à Paris.

2. On peut y admirer des tapisseries, des meubles et des armures. Ces (nom générique) .... nous font faire un bond dans le passé.

3. On se croirait au cœur d'un roman de Chrétien de Troyes. Je me demandais si (périphrase) .... n'allait pas apparaître !

9 **J'APPLIQUE** pour écrire

À ton tour, raconte la visite d'un musée ou d'un monument que tu as aimé.

Consigne
- au moins 2 reprises pronominales
- au moins 2 reprises nominales différentes

Coche la couleur que tu as le mieux réussie.

☐ Relève de nouveaux défis ! ⟶ exercices 1, 2, p. 122

☐ Améliore tes performances ! ⟶ exercices 3, 4 p. 122

☐ Prouve que tu es un champion ! ⟶ exercices 5, 6, p. 122

Chacun son rythme

42 Je sais nuancer ma pensée

Je comprends ce que signifie « nuancer sa pensée »

- Certains énoncés sont neutres. *Il est arrivé à 17 h 00. Aujourd'hui il pleut.*
- On peut **nuancer** en **atténuant** ou en **amplifiant le sens**. *Il pleut **beaucoup** aujourd'hui.* (amplification) / *Il a **un peu** plu.* (atténuation)
- On peut **nuancer** en introduisant un **doute**. *Il **me semble** qu'il pleut.*
- On appelle **modalisateurs** tous les procédés qui permettent de nuancer un énoncé.

1 Barre les énoncés neutres.

1. Il a sept ans. • Il ressemble à son père. • Il ressemble beaucoup à son père.

2. Elle est beaucoup plus jolie que lui. • Elle est absente aujourd'hui. • Elle est peut-être absente.

3. Elle doit arriver prochainement. • Je lui dois deux euros. • Elle semble en pleine forme.

Je sais nuancer un énoncé en utilisant des adverbes modalisateurs

- Les adverbes comme : *plus, moins, un peu, légèrement, très*... permettent d'**atténuer** ou d'**amplifier** un énoncé.

    Paul est malade → *Paul est **un peu** malade ou Paul est **très** malade.*

- Les adverbes comme : *sans doute, peut-être, certainement*... permettent d'introduire une nuance de **doute**, de **probabilité**.

    *Clarisse sera **sans doute** en retard.*

- Ils peuvent porter sur un verbe, un adjectif ou un autre adverbe.

    *J'aime **beaucoup** son nouveau pull. Il est **peut-être** malade.*

    *Il a **formidablement** bien réussi sa charlotte aux framboises.*

2 Souligne les adverbes modalisateurs et précise leurs sens.

1. J'ai cassé un vase... J'en suis très énervé et fort triste. .... • Il était peut-être fêlé. ....

2. La semaine dernière, Marie était vraiment malade. Bien heureusement, ses amies ont pu lui transmettre les cours. .... • Elle ne sera sans doute pas pénalisée. ....

3. Ces élèves sont peu motivés, ils ne parviennent pas du tout à progresser. ....
• Ils vont certainement redoubler. ....

3 Réécris ces phrases en ajoutant un adverbe du sens indiqué.

1. Héloïse est une jolie jeune fille.

Amplification : ....

2. Nous nous sommes perdus.

Atténuation : ....

3. Pour son déménagement, Thomas s'est fait aider par ses amis.

Probabilité : ....

Je sais nuancer en utilisant des verbes modalisateurs ou le conditionnel

- Les verbes tels que : *il se peut que, il semble, je pense, il doit...* indiquent que **le fait envisagé n'est pas certain**.
- Le conditionnel s'emploie pour évoquer des **faits imaginaires**, non confirmés.

  *Les voleurs **seraient entrés** par effraction.* (fait non confirmé)

4 Utilise un verbe modalisateur pour indiquer que l'action n'est pas certaine.

1. Enzo aura le temps de faire les courses.

....

2. Il fera beau demain.

....

3. Il n'a pas reçu ton courrier.

....

5 Utilise le conditionnel pour montrer que ces affirmations sont incertaines.

1. Ses parents n'ont toujours pas répondu. ....

2. Elle l'a attendu pendant deux heures. ....

3. Les cambrioleurs sont entrés par effraction. ....

6 Réécris ces phrases en introduisant les nuances indiquées à l'aide d'un procédé de ton choix.

1. Alex s'est acheté (doute) une belle (amplification) voiture.

....

2. Ils partiront (doute) au Portugal dans leur nouvelle (amplification) maison.

....

3. Il n'y a plus d'électricité (doute), c'est gênant (atténuation).

....

7 **J'APPLIQUE** pour écrire

Réécris ces phrases en utilisant des modalisateurs correspondant aux consignes.

Yvain a été écrit (conditionnel) .... en 1176. Ce chevalier a accompli de
nombreux (adverbe d'amplification) .... exploits mais le texte est
parfois difficile .... difficile
à comprendre.
J'ai lu (verbe modalisateur) .... plusieurs romans de chevalerie,
mais j'ai (adverbe de doute) .... oublié certains épisodes.

Coche la couleur que
tu as le mieux réussie.

☐ Relève de nouveaux défis ! ⟶ **exercices 7, 8 p. 122-123**
◩ Améliore tes performances ! ⟶ **exercice 9 p. 123**
■ Prouve que tu es un champion ! ⟶ **exercice 10 p. 123**

Chacun
son rythme

119

43 Je sais utiliser le bon niveau de langue

Je sais repérer les trois niveaux de langue

- **Le langage familier:**
– s'emploie à l'oral, principalement pour parler à ses amis et à ses proches;
– se repère aux tournures incorrectes, au verlan, aux abréviations…

> *Le cours de français, il est trop relou !*

- **Le langage courant:**
– s'emploie à l'oral et à l'écrit, aussi bien dans une rédaction que pour parler à un adulte, une personne que l'on connaît peu…
– se repère aux phrases correctes, avec un vocabulaire simple mais précis.

> *Je n'aime pas le cours de français.*

- **Le langage soutenu:**
– s'emploie à l'écrit, principalement dans les textes littéraires et en poésie;
– se repère aux tournures recherchées, aux mots rares et peu employés…

> *Je n'apprécie guère l'heure consacrée à la littérature.*

1 Indique le niveau de langue employé.

■ **1.** Vincent est un élève appliqué. ....

■ **2.** Il travaille comme un ouf ! ....

■ **3.** Elle a vachement bien réussi le contrôle. ....

■ **4.** Monsieur le Maire est secondé dans ses entreprises par son adjoint. ....

■ **5.** Ils jouent gaîment aux cartes. ....

■ **6.** Notre travail a été loué ! Nous n'avons pas démérité ! ....

Je sais choisir le vocabulaire

- Appartiennent au **langage familier**: les **abréviations** (*prof, d'ac, c'te fille, ça…*), les **anglicismes** (*super, cool, bader…*), les **termes argotiques** (*bahut, fringue, bouffe, clope, pote…*), les **termes de verlan** (*meuf, ouf, guedin, pécho…*), l'utilisation de *être* pour *aller*.
- Certains mots sont pourtant **apparemment très usuels**: *copain, drôlement, chouette, virer* (au sens de *renvoyer*)…
- Ces mots sont **à bannir à l'écrit**.

2 Souligne les mots familiers et remplace-les par des synonymes appartenant au langage courant.

■ **1.** Je kiffe ton sac. ....

■ **2.** Le prof nous a filé une punition. ....

■ **3.** Ses blagues étaient super drôles, on a bien rigolé. ....

....

3 Complète le tableau suivant. N'hésite pas à t'aider d'un dictionnaire.

Langage familier	Langage courant	Langage soutenu
....	voiture	....
....	....	établissement scolaire
planquer	....	....
....	....	affabulation
bouffer	....	....
....	se vanter	....

Je sais construire des phrases grammaticalement correctes

- Dans les **langages courant et soutenu**, les phrases employées sont grammaticalement correctes :
  – La négation comporte toujours **deux éléments** : *ne / n' + pas / plus / guère… J'ai pas de chance.*
  ➡ *Je n'ai **pas** de chance.*
  – Le **sujet est inversé** dans les **interrogatives directes**. *Ils font quoi ?* ➡ *Que font-**ils** ? / Ils ont déjeuné ?*
  ➡ *Ont-**ils** déjeuné ?*
  – Il ne faut pas reprendre deux fois un **sujet** ou un **complément**. *Ce pull-là, je l'aime beaucoup.*
  ➡ *J'aime beaucoup **ce pull-là.***
  – Les **prépositions** doivent être **correctement choisies**. *Il commence à travailler* (et pas *de*) / *C'est le pull de mon frère* (et pas *à*) / *Je vais chez le coiffeur* (et pas *au*)

4 Ces phrases appartiennent au langage familier. Réécris-les en corrigeant les fautes grammaticales.

1. Vous avez fait quoi ? Nous avons été au coiffeur.

....

2. T'as pas pris le sac à Pierre… Il va dire quoi ?

....

3. Son excuse, j'la crois pas. Il peut pas s'empêcher à raconter n'importe quoi.

....

5 **J'APPLIQUE** pour écrire

Voici une adaptation d'*Yvain ou le chevalier au lion*, écrite en langage familier. Sur une feuille à part, transpose-la en langage courant.

> La dame, ils l'ont trouvée assise sur son plumard. Le gars Yvain a une sacrée trouille lorsqu'il se pointe dans la chambre. Ils fixent la dame, qui reste hyper silencieuse. Yvain, ça lui donne la frousse et il pense que ça va pas le faire. Il se tient carrément à distance de la dame pendant que la bonne dit :
> – V'nez par ici, ch'valier, et ayez pas peur d'ma dame !

Coche la couleur que tu as le mieux réussie.

☐ Relève de nouveaux défis ! ⟶ **exercices 11, 12 p. 123**
☐ Améliore tes performances ! ⟶ **exercice 13 p. 123**
☐ Prouve que tu es un champion ! ⟶ **exercice 14 p. 123**

Chacun son rythme

Chacun son rythme

Je sais éviter les répétitions

1. Quiz Coche les phrases vraies.

Pour éviter les répétitions:

☐ On utilise des noms ou des pronoms.

☐ Les noms sont des noms génériques.

☐ On peut utiliser tous les pronoms.

☐ On ne peut pas utiliser tous les pronoms.

2. Chasse à l'intrus Barre les mots qui ne pourraient pas constituer une reprise du mot en gras.

Ce livre: celui-ci • le • l'ouvrage • en • les siens • lui • les

Mon teckel: chien • animal • le mien • la • ceci • mon compagnon à quatre pattes

Un collège: ce collège • ce nouveau collège • les • en • l'établissement • ceux-ci • la maison

3. Range-mots Classe les reprises des mots en gras dans la bonne colonne.

tulipe: fleur • celle-ci • en • ce végétal

cheval: animal • équidé • le mien • la plus noble conquête de l'homme

Justine: la jeune fille • elle • lui • la

lion: celui-là • il • le roi des animaux • le félin

Pronoms	Noms génériques	Périphrases

4. Labo des mots Fais les reprises demandées des mots en gras.

1. Je n'aime pas **les épinards**, ces (nom générique) .... ont un aspect qui me déplaît.

2. Il m'a prêté **sa voiture**, j'irai faire mes courses avec ce (synonyme) ....

3. Préfères-tu jouer **dehors ou à l'intérieur** ? (pronom démonstratif) .... m'est égal.

5. Grille Retrouve dans cette grille six mots que tu utiliseras comme reprise des mots en gras. Tu ajouteras les déterminants.

L	E	M	I	E	N
A	U	S	S	I	T
X	F	I	L	M	O
A	E	Y	E	L	I
K	F	Q	G	O	L
M	E	U	B	L	E

1. Regarde cette jolie commode, c'est un .... ancien.

2. Nous allons en Corse cet été, j'aime beaucoup cette ....

3. J'aime ton pull, ... est moins confortable.

4. Pierre m'a appelé, ... sera un peu en retard.

5. Ce chemisier est en soie, j'aime beaucoup ce ....

6. Ma grand-mère possède un tableau de Picasso: c'est une .... datant de 1920.

6. Message secret Barre tous les mots qui ne sont pas des noms de ville, puis place les noms de ville devant la périphrase qui les désigne.

MarseilleficelleRomechanterParisviensplageToulouserac onterNewYorksortirSaint-Malo

1. la ville éternelle: ....

2. la ville rose: ....

3. la cité phocéenne: ....

4. la ville lumière: ....

5. la grosse pomme: ....

6. la cité des corsaires: ....

Je sais nuancer ma pensée

7. Quiz Coche les propositions vraies.

Pour nuancer sa pensée, on peut utiliser:

☐ Des adverbes.

☐ Des pronoms.

☐ Certains verbes.

☐ Le conditionnel.

8. *Vrai ou faux* **Barre les phrases où l'énoncé est neutre.**

1. La séance est à 20 h 00.

2. Il s'est sans doute trompé de route.

3. Nous sommes extrêmement mécontents.

4. Nous avons emménagé hier.

5. Je suis un peu déçue.

9. *Méli-mélo* **Utilise les modalisateurs proposés à la place des pointillés, puis précise la nuance exprimée.**

sûrement • beaucoup • un peu • peut-être

• extrêmement • il se peut que

1. Il va .... arriver, sinon il aurait prévenu.

....

2. Ma sœur est .... courageuse : elle a plongé dans l'eau glacée !

3. Il pleut .... mais nous pouvons sortir.

4. .... nous arrivions dès ce soir.

5. Nous les voyons .... : ils habitent juste à côté. ....

6. Nous passerons .... au retour.

10. *Pyramide* **Remplis cette pyramide de verbes à l'infinitif, puis utilise-les au conditionnel comme modalisateurs dans les phrases.**

1. Action faite grâce aux yeux 2. Contraire de travailler
3. Se déplacer rapidement 4. Contraire de rater
5. Synonyme de sembler 6. Synonyme de débuter

```
        1 ☐ ☐ ☐
      2 ☐ ☐ ☐ ☐
    3 ☐ ☐ ☐ ☐ ☐
   4 ☐ ☐ ☐ ☐ ☐ ☐
  5 ☐ ☐ ☐ ☐ ☐ ☐ ☐
 6 ☐ ☐ ☐ ☐ ☐ ☐ ☐ ☐
```

a. La pièce se .... encore pendant un mois.

b. Ce robot .... même à broyer des cailloux.

c. Les travaux .... en août.

d. Nous les .... à leur retour des États Unis.

e. Cet enfant .... beaucoup plus âgé qu'il n'est.

f. Il .... le marathon en deux heures.

Je sais choisir le bon niveau de langue

11. *Quiz* **Coche les phrases vraies.**

1. On distingue trois niveaux de langue. ☐

2. À l'écrit, on ne doit utiliser que le langage soutenu. ☐

3. À l'écrit on peut utiliser le langage courant. ☐

4. À l'oral, on peut toujours utiliser le langage familier. ☐

12. *Vrai ou faux* **Barre les phrases qui appartiennent au langage familier.**

1. C'est le livre de Paul. / C'est le livre à Paul.

2. Il commence de pleuvoir. / Il commence à pleuvoir.

3. Il est allé au marché. / Il a été au marché.

4. Elle est allée au coiffeur. / Elle est allée chez le coiffeur.

5. On est jamais si bien servi que par soi-même. / On n'est jamais si bien servi que par soi-même.

13. *Labo des mots* **Transforme ces phrases en langage courant.**

1. Bouffe pas dans ma caisse ! ....

....

2. T'es à la bourre ! Grouille-toi si tu veux pas te faire virer du bahut. ....

....

3. C'mec, j'le kiffe pas ! Il est chelou. ....

....

4. Le nouveau prof, il est trop cool, i's' marre tout l'temps. ....

....

14. *Charade* **Résous cette charade et utilise le mot trouvé pour compléter la phrase d'un niveau de langue soutenu. Donne ensuite un synonyme courant du mot.**

Charade 1 : mon premier est une voyelle de l'alphabet, **mon deuxième** est une céréale très consommée en Asie, **mon troisième** est une boisson et **mon tout** s'applique à quelqu'un qui n'est pas content.

Réponse : ....

Mon père est .... contre moi. ....

PRONOMS ET DÉTERMINANTS

LES PRONOMS

Les pronoms remplacent un nom ou un GN. On les trouve devant un verbe ou après une préposition.

	DÉFINITIONS	EXEMPLES
Les pronoms personnels ♦ *je • tu • il • ils* → sujets ♦ *elle • elles • nous • vous* → sujets ou compléments ♦ *me • moi • te • toi • le • la • l'* *• les • lui • leur • se • soi • eux* → compléments	● Varient en **genre**, en **nombre**, en **personne** et parfois selon leur fonction grammaticale.	▸ *Tu as de grandes dents !* = pronom personnel sujet, 2e personne du sing. ▸ *Je vais te dévorer !* = pronom personnel COD, 2e personne du sing.
Les pronoms possessifs ♦ *le / les mien(s) • tien(s) • sien(s)* ♦ *la / les mienne(s) •* *tienne(s) • sienne(s)* ♦ *le / la nôtre • vôtre • leur* ♦ *les nôtres • les vôtres • les leurs*	● **Remplacent** un **nom** et indiquent un **lien** (appartenance, filiation…) avec un autre nom du texte. ● Varient en **genre**, en **nombre** et en **personne**.	▸ *J'ai oublié mon livre, prête-moi le tien, s'il te plaît.* = le livre de la personne à qui je parle
Les pronoms démonstratifs ♦ *ce, celui • celle(s) • ceux* ♦ *celui-ci • celui-là • celle(s)-ci* *• celle(s)-là • ceux-ci • ceux-là* ♦ *ceci, cela (ça)*	● **Remplacent** un **nom** que l'on **montre** ou dont on a **déjà parlé**.	▸ *Aimes-tu les contes de Grimm ? – Oui, mais je préfère ceux de Perrault.* = les contes dont on vient de parler.

LES DÉTERMINANTS

Les déterminants précèdent un nom avec lequel ils s'accordent en genre et en nombre.

	DÉFINITIONS	EXEMPLES
Les articles ♦ articles définis : *le • la • les • l'*	● S'emploient **devant un nom déjà utilisé** ou bien **précisé**.	▸ *Les contes de Perrault sont célèbres.*
♦ articles indéfinis : *un • une • des*	● S'emploient **devant un nom jamais utilisé** ou **imprécis**.	▸ *J'aime lire des contes.*
♦ articles définis contractés : *au(x) • du • des*	● **Contraction** des prépositions *à* ou *de* et des articles *le* ou *les*.	▸ *Voici l'histoire du Petit Chaperon rouge.* = de + le
♦ articles partitifs : *du • de la • de l'*	● Signifient « **un peu de** ».	▸ *Je t'apporte du beurre.*
Les déterminants possessifs ♦ *mon • ton • son • ma • ta • sa* *• mes • tes • ses • notre • votre* *• leur • nos • vos • leurs*	● S'emploient **devant un nom** qui a un **lien** (appartenance, filiation…) avec un autre nom du texte.	▸ *La petite fille porte du beurre à sa grand-mère.* = la grand-mère de la petite fille
Les déterminants démonstratifs ♦ *ce • cet • cette • ces* ♦ *ce… -ci / -là • cette… -ci / -là* *• ces… -ci / -là*	● S'emploient **devant un nom** que l'on montre ou dont on a **déjà parlé**.	▸ *J'ai lu les contes de Perrault et j'ai apprécié cette lecture.* = la lecture des contes de Perrault

LES PRINCIPAUX PRÉFIXES ET SUFFIXES

LES PRÉFIXES

Les préfixes se placent avant le radical ou le mot simple et ils en modifient le sens.

	SENS	EXEMPLES
a- • *an-*	• négatif	▶ *anormal*
ad- • *ap-* • *ac-...*	• vers	▶ *addition* • *apporter*
com- • *con-* • *col-* • *co-*	• avec	▶ *concourir* • *colocataire*
dé(s)-	• négatif	▶ *désobéir*
dis-	• séparer	▶ *disjoindre*
e- • *ex-*	• à l'extérieur	▶ *exporter*
en- • *em-* • *in-* • *im-*	• dans	▶ *emplir* • *importer*
in- • *im-* • *ir-* • *il-*	• négatif	▶ *immortel* • *illisible*
mal- • *mé-*	• négatif	▶ *malhonnête* • *mécontent*
pré-	• avant	▶ *prévenir*
re-	• répétition	▶ *retour* • *refaire* • *revenir*
trans-	• au-delà	▶ *transporter*

LES SUFFIXES

Les suffixes se placent après le radical ou le mot simple. Ils peuvent changer la classe grammaticale d'un mot, mais aussi changer son sens.

SUFFIXES DE NOMS COMMUNS

	EXEMPLES
-ade • *-age*	▶ *glissade* • *lavage*
-eur • *-ateur* • *-euse* • *-atrice* • *-teur* • *-trice*	▶ *chercheur* • *animateur* • *lectrice*
-ien • *-ienne* • *-en* • *-enne*	▶ *collégien*
-ement	▶ *enlèvement*
-esse	▶ *tristesse* • *ânesse*
-er • *-ier* • *-ie* • *-erie*	▶ *boucher* • *épicier* • *lingerie*
-ise • *-isme* • *-iste*	▶ *sottise* • *héroïsme*
-oir • *-oire* • *-atoire*	▶ *mouchoir*
-té • *-eté* • *-ité*	▶ *fierté*
-ure	▶ *chevelure*

SUFFIXES D'ADJECTIFS

	EXEMPLES
-able • *-ible* • *-uble* expriment la possibilité	▶ *variable* • *nuisible* • *soluble*
-al • *-el*	▶ *matinal* • *intellectuel*
-ien • *-ienne* • *-en* • *-enne*	▶ *aérien*
-eux • *-ueux* • *-euse*	▶ *heureux* • *luxueux*
-if • *-ive*	▶ *sportif*
-er • *-ier* • *-ière*	▶ *gaucher* • *fruitier*
-ique	▶ *héroïque*
-u	▶ *ventru*

SUFFIXES DE VERBES

-er • *-ir* • *-ifier* • *-iser*	▶ *chanter* • *finir* • *finaliser*

SUFFIXE D'ADVERBES

-ment (ajouté à un adjectif)	▶ *heureusement*

SUFFIXES MODIFIANT LE SENS

	SENS	EXEMPLES
-et • *-ette* • *-ot* • *-otte* • *-eau* • *-on*	• diminutifs	▶ *jardinet* • *fillette* • *lapereau*
-asse • *-âtre*	• péjoratifs	▶ *paperasse* • *verdâtre*

QUELQUES RADICAUX LATINS

	EXEMPLES
aqua- (eau) • *mar-* (mer) • *equ-* (cheval)	▶ *aquatique* • *maritime* • *équitation*
multi- (nombreux)	▶ *multicolore*

QUELQUES RADICAUX GRECS

	EXEMPLES
bio- (vie) • *hydr-* (eau) • *chrono-* (temps)	▶ *biologie* • *hydraulique* • *chronomètre*
poly- (nombreux)	▶ *polychrome*

CONJUGAISON DE ÊTRE, AVOIR, JOUER, GRANDIR

ÊTRE

INDICATIF		CONDITIONNEL	
PRÉSENT	**PASSÉ COMPOSÉ**	**PRÉSENT**	**PASSÉ**
je suis	j'ai été	je serais	j'aurais été
tu es	tu as été	tu serais	tu aurais été
il est	il a été	il serait	il aurait été
nous sommes	nous avons été	nous serions	nous aurions été
vous êtes	vous avez été	vous seriez	vous auriez été
ils sont	ils ont été	ils seraient	ils auraient été

IMPARFAIT	PLUS-QUE-PARFAIT	SUBJONCTIF	
		PRÉSENT	
j'étais	j'avais été	que je sois	
tu étais	tu avais été	que tu sois	
il était	il avait été	qu'il soit	
nous étions	nous avions été	que nous soyons	
vous étiez	vous aviez été	que vous soyez	
ils étaient	ils avaient été	qu'ils soient	

PASSÉ SIMPLE	PASSÉ ANTÉRIEUR	IMPÉRATIF
		PRÉSENT
je fus	j'eus été	sois
tu fus	tu eus été	soyons
il fut	il eut été	soyez
nous fûmes	nous eûmes été	
vous fûtes	vous eûtes été	
ils furent	ils eurent été	

FUTUR SIMPLE	FUTUR ANTÉRIEUR	INFINITIF	
		PRÉSENT	**PASSÉ**
je serai	j'aurai été	être	avoir été
tu seras	tu auras été		
il sera	il aura été	**PARTICIPE**	
nous serons	nous aurons été	**PRÉSENT**	**PASSÉ**
vous serez	vous aurez été	étant	été
ils seront	ils auront été		

AVOIR

INDICATIF		CONDITIONNEL	
PRÉSENT	**PASSÉ COMPOSÉ**	**PRÉSENT**	**PASSÉ**
j'ai	j'ai eu	j'aurais	j'aurais eu
tu as	tu as eu	tu aurais	tu aurais eu
il a	il a eu	il aurait	il aurait eu
nous avons	nous avons eu	nous aurions	nous aurions eu
vous avez	vous avez eu	vous auriez	vous auriez eu
ils ont	ils ont eu	ils auraient	ils auraient eu

IMPARFAIT	PLUS-QUE-PARFAIT	SUBJONCTIF	
		PRÉSENT	
j'avais	j'avais eu	que j'aie	
tu avais	tu avais eu	que tu aies	
il avait	il avait eu	qu'il ait	
nous avions	nous avions eu	que nous ayons	
vous aviez	vous aviez eu	que vous ayez	
ils avaient	ils avaient eu	qu'ils aient	

PASSÉ SIMPLE	PASSÉ ANTÉRIEUR	IMPÉRATIF
		PRÉSENT
j'eus	j'eus eu	aie
tu eus	tu eus eu	ayons
il eut	il eut eu	ayez
nous eûmes	nous eûmes eu	
vous eûtes	vous eûtes eu	
ils eurent	ils eurent eu	

FUTUR SIMPLE	FUTUR ANTÉRIEUR	INFINITIF	
		PRÉSENT	**PASSÉ**
j'aurai	j'aurai eu	avoir	avoir eu
tu auras	tu auras eu		
il aura	il aura eu	**PARTICIPE**	
nous aurons	nous aurons eu	**PRÉSENT**	**PASSÉ**
vous aurez	vous aurez eu	ayant	eu(es)
ils auront	ils auront eu		

JOUER (1ER GROUPE)

INDICATIF		CONDITIONNEL	
PRÉSENT	**PASSÉ COMPOSÉ**	**PRÉSENT**	**PASSÉ**
je joue	j'ai joué	je jouerais	j'aurais joué
tu joues	tu as joué	tu jouerais	tu aurais joué
il joue	il a joué	il jouerait	il aurait joué
nous jouons	nous avons joué	nous jouerions	nous aurions joué
vous jouez	vous avez joué	vous joueriez	vous auriez joué
ils jouent	ils ont joué	ils joueraient	ils auraient joué

IMPARFAIT	PLUS-QUE-PARFAIT	SUBJONCTIF	
		PRÉSENT	
je jouais	j'avais joué	que je joue	
tu jouais	tu avais joué	que tu joues	
il jouait	il avait joué	qu'il joue	
nous jouions	nous avions joué	que nous jouions	
vous jouiez	vous aviez joué	que vous jouiez	
ils jouaient	ils avaient joué	qu'ils jouent	

PASSÉ SIMPLE	PASSÉ ANTÉRIEUR	IMPÉRATIF
		PRÉSENT
je jouai	j'eus joué	joue
tu jouas	tu eus joué	jouons
il joua	il eut joué	jouez
nous jouâmes	nous eûmes joué	
vous jouâtes	vous eûtes joué	
ils jouèrent	ils eurent joué	

FUTUR SIMPLE	FUTUR ANTÉRIEUR	INFINITIF	
		PRÉSENT	**PASSÉ**
je jouerai	j'aurai joué	jouer	avoir joué
tu joueras	tu auras joué		
il jouera	il aura joué	**PARTICIPE**	
nous jouerons	nous aurons joué	**PRÉSENT**	**PASSÉ**
vous jouerez	vous aurez joué	jouant	joué(es)
ils joueront	ils auront joué		

GRANDIR (2E GROUPE)

INDICATIF		CONDITIONNEL	
PRÉSENT	**PASSÉ COMPOSÉ**	**PRÉSENT**	**PASSÉ**
je grandis	j'ai grandi	je grandirais	j'aurais grandi
tu grandis	tu as grandi	tu grandirais	tu aurais grandi
il grandit	il a grandi	il grandirait	il aurait grandi
nous grandissons	nous avons grandi	nous grandirions	nous aurions grandi
vous grandissez	vous avez grandi	vous grandiriez	vous auriez grandi
ils grandissent	ils ont grandi	ils grandiraient	ils auraient grandi

IMPARFAIT	PLUS-QUE-PARFAIT	SUBJONCTIF	
		PRÉSENT	
je grandissais	j'avais grandi	que je grandisse	
tu grandissais	tu avais grandi	que tu grandisses	
il grandissait	il avait grandi	qu'il grandisse	
nous grandissions	nous avions grandi	que nous grandissions	
vous grandissiez	vous aviez grandi	que vous grandissiez	
ils grandissaient	ils avaient grandi	qu'ils grandissent	

PASSÉ SIMPLE	PASSÉ ANTÉRIEUR	IMPÉRATIF
		PRÉSENT
je grandis	j'eus grandi	grandis
tu grandis	tu eus grandi	grandissons
il grandit	il eut grandi	grandissez
nous grandîmes	nous eûmes grandi	
vous grandîtes	vous eûtes grandi	
ils grandirent	ils eurent grandi	

FUTUR SIMPLE	FUTUR ANTÉRIEUR	INFINITIF	
		PRÉSENT	**PASSÉ**
je grandirai	j'aurai grandi	grandir	avoir grandi
tu grandiras	tu auras grandi		
il grandira	il aura grandi	**PARTICIPE**	
nous grandirons	nous aurons grandi	**PRÉSENT**	**PASSÉ**
vous grandirez	vous aurez grandi	grandissant	grandi(es)
ils grandiront	ils auront grandi		

CONJUGAISON DE ALLER, FAIRE, DIRE, PRENDRE

ALLER (3ᴱ GROUPE)

INDICATIF

PRÉSENT	PASSÉ COMPOSÉ
je vais	je suis allé(e)
tu vas	tu es allé(e)
il va	il (elle) est allé(e)
nous allons	nous sommes allé(e)s
vous allez	vous êtes allé(e)s
ils vont	ils (elles) sont allé(e)s

IMPARFAIT	PLUS-QUE-PARFAIT
j'allais	j'étais allé(e)
tu allais	tu étais allé(e)
il allait	il (elle) était allé(e)
nous allions	nous étions allé(e)s
vous alliez	vous étiez allé(e)s
ils allaient	ils (elles) étaient allé(e)s

PASSÉ SIMPLE	PASSÉ ANTÉRIEUR
j'allai	je fus allé(e)
tu allas	tu fus allé(e)
il alla	il (elle) fut allé(e)
nous allâmes	nous fûmes allé(e)s
vous allâtes	vous fûtes allé(e)s
ils allèrent	ils (elles) furent allé(e)s

FUTUR SIMPLE	FUTUR ANTÉRIEUR
j'irai	je serai allé(e)
tu iras	tu seras allé(e)
il ira	il (elle) sera allé(e)
nous irons	nous serons allé(e)s
vous irez	vous serez allé(e)s
ils iront	ils (elles) seront allé(e)s

CONDITIONNEL

PRÉSENT	PASSÉ
j'irais	je serais allé(e)
tu irais	tu serais allé(e)
il irait	il (elle) serait allé(e)
nous irions	nous serions allé(e)s
vous iriez	vous seriez allé(e)s
ils iraient	ils (elles) seraient allé(e)s

SUBJONCTIF
PRÉSENT

que j'aille
que tu ailles
qu'il aille
que nous allions
que vous alliez
qu'ils aillent

IMPÉRATIF
PRÉSENT

va
allons
allez

INFINITIF

PRÉSENT	PASSÉ
aller	être allé(es)

PARTICIPE

PRÉSENT	PASSÉ
allant	allé(es)

FAIRE (3ᴱ GROUPE)

INDICATIF

PRÉSENT	PASSÉ COMPOSÉ
je fais	j'ai fait
tu fais	tu as fait
il fait	il a fait
nous faisons	nous avons fait
vous faites	vous avez fait
ils font	ils ont fait

IMPARFAIT	PLUS-QUE-PARFAIT
je faisais	j'avais fait
tu faisais	tu avais fait
il faisait	il avait fait
nous faisions	nous avions fait
vous faisiez	vous aviez fait
ils faisaient	ils avaient fait

PASSÉ SIMPLE	PASSÉ ANTÉRIEUR
je fis	j'eus fait
tu fis	tu eus fait
il fit	il eut fait
nous fîmes	nous eûmes fait
vous fîtes	vous eûtes fait
ils firent	ils eurent fait

FUTUR SIMPLE	FUTUR ANTÉRIEUR
je ferai	j'aurai fait
tu feras	tu auras fait
il fera	il aura fait
nous ferons	nous aurons fait
vous ferez	vous aurez fait
ils feront	ils auront fait

CONDITIONNEL

PRÉSENT	PASSÉ
je ferais	j'aurais fait
tu ferais	tu aurais fait
il ferait	il aurait fait
nous ferions	nous aurions fait
vous feriez	vous auriez fait
ils feraient	ils auraient fait

SUBJONCTIF
PRÉSENT

que je fasse
que tu fasses
qu'il fasse
que nous fassions
que vous fassiez
qu'ils fassent

IMPÉRATIF
PRÉSENT

fais
faisons
faites

INFINITIF

PRÉSENT	PASSÉ
faire	avoir fait

PARTICIPE

PRÉSENT	PASSÉ
faisant	fait(es)

DIRE (3ᴱ GROUPE)

INDICATIF

PRÉSENT	PASSÉ COMPOSÉ
je dis	j'ai dit
tu dis	tu as dit
il dit	il a dit
nous disons	nous avons dit
vous dites	vous avez dit
ils disent	ils ont dit

IMPARFAIT	PLUS-QUE-PARFAIT
je disais	j'avais dit
tu disais	tu avais dit
il disait	il avait dit
nous disions	nous avions dit
vous disiez	vous aviez dit
ils disaient	ils avaient dit

PASSÉ SIMPLE	PASSÉ ANTÉRIEUR
je dis	j'eus dit
tu dis	tu eus dit
il dit	il eut dit
nous dîmes	nous eûmes dit
vous dîtes	vous eûtes dit
ils dirent	ils eurent dit

FUTUR SIMPLE	FUTUR ANTÉRIEUR
je dirai	j'aurai dit
tu diras	tu auras dit
il dira	il aura dit
nous dirons	nous aurons dit
vous direz	vous aurez dit
ils diront	ils auront dit

CONDITIONNEL

PRÉSENT	PASSÉ
je dirais	j'aurais dit
tu dirais	tu aurais dit
il dirait	il aurait dit
nous dirions	nous aurions dit
vous diriez	vous auriez dit
ils diraient	ils auraient dit

SUBJONCTIF
PRÉSENT

que je dise
que tu dises
qu'il dise
que nous disions
que vous disiez
qu'ils disent

IMPÉRATIF
PRÉSENT

dis
disons
dites

INFINITIF

PRÉSENT	PASSÉ
dire	avoir dit

PARTICIPE

PRÉSENT	PASSÉ
disant	dit(es)

PRENDRE (3ᴱ GROUPE)

INDICATIF

PRÉSENT	PASSÉ COMPOSÉ
je prends	j'ai pris
tu prends	tu as pris
il prend	il a pris
nous prenons	nous avons pris
vous prenez	vous avez pris
ils prennent	ils ont pris

IMPARFAIT	PLUS-QUE-PARFAIT
je prenais	j'avais pris
tu prenais	tu avais pris
il prenait	il avait pris
nous prenions	nous avions pris
vous preniez	vous aviez pris
ils prenaient	ils avaient pris

PASSÉ SIMPLE	PASSÉ ANTÉRIEUR
je pris	j'eus pris
tu pris	tu eus pris
il prit	il eut pris
nous prîmes	nous eûmes pris
vous prîtes	vous eûtes pris
ils prirent	ils eurent pris

FUTUR SIMPLE	FUTUR ANTÉRIEUR
je prendrai	j'aurai pris
tu prendras	tu auras pris
il prendra	il aura pris
nous prendrons	nous aurons pris
vous prendrez	vous aurez pris
ils prendront	ils auront pris

CONDITIONNEL

PRÉSENT	PASSÉ
je prendrais	j'aurais pris
tu prendrais	tu aurais pris
il prendrait	il aurait pris
nous prendrions	nous aurions pris
vous prendriez	vous auriez pris
ils prendraient	ils auraient pris

SUBJONCTIF
PRÉSENT

que je prenne
que tu prennes
qu'il prenne
que nous prenions
que vous preniez
qu'ils prennent

IMPÉRATIF
PRÉSENT

prends
prenons
prenez

INFINITIF

PRÉSENT	PASSÉ
prendre	avoir pris

PARTICIPE

PRÉSENT	PASSÉ
prenant	pris(es)

CONJUGAISON DE *POUVOIR, VOIR, DEVOIR, VOULOIR*

POUVOIR (3ᴱ GROUPE)

INDICATIF

PRÉSENT	PASSÉ COMPOSÉ
je peux	j'ai pu
tu peux	tu as pu
il peut	il a pu
nous pouvons	nous avons pu
vous pouvez	vous avez pu
ils peuvent	ils ont pu

IMPARFAIT	PLUS-QUE-PARFAIT
je pouvais	j'avais pu
tu pouvais	tu avais pu
il pouvait	il avait pu
nous pouvions	nous avions pu
vous pouviez	vous aviez pu
ils pouvaient	ils avaient pu

PASSÉ SIMPLE	PASSÉ ANTÉRIEUR
je pus	j'eus pu
tu pus	tu eus pu
il put	il eut pu
nous pûmes	nous eûmes pu
vous pûtes	vous eûtes pu
ils purent	ils eurent pu

FUTUR SIMPLE	FUTUR ANTÉRIEUR
je pourrai	j'aurai pu
tu pourras	tu auras pu
il pourra	il aura pu
nous pourrons	nous aurons pu
vous pourrez	vous aurez pu
ils pourront	ils auront pu

CONDITIONNEL

PRÉSENT	PASSÉ
je pourrais	j'aurais pu
tu pourrais	tu aurais pu
il pourrait	il aurait pu
nous pourrions	nous aurions pu
vous pourriez	vous auriez pu
ils pourraient	ils auraient pu

SUBJONCTIF

PRÉSENT
que je puisse
que tu puisses
qu'il puisse
que nous puissions
que vous puissiez
qu'ils puissent

IMPÉRATIF

PRÉSENT
-
-
-

INFINITIF

PRÉSENT	PASSÉ
pouvoir	avoir pu

PARTICIPE

PRÉSENT	PASSÉ
pouvant	pu

VOIR (3ᴱ GROUPE)

INDICATIF

PRÉSENT	PASSÉ COMPOSÉ
je vois	j'ai vu
tu vois	tu as vu
il voit	il a vu
nous voyons	nous avons vu
vous voyez	vous avez vu
ils voient	ils ont vu

IMPARFAIT	PLUS-QUE-PARFAIT
je voyais	j'avais vu
tu voyais	tu avais vu
il voyait	il avait vu
nous voyions	nous avions vu
vous voyiez	vous aviez vu
ils voyaient	ils avaient vu

PASSÉ SIMPLE	PASSÉ ANTÉRIEUR
je vis	j'eus vu
tu vis	tu eus vu
il vit	il eut vu
nous vîmes	nous eûmes vu
vous vîtes	vous eûtes vu
ils virent	ils eurent vu

FUTUR SIMPLE	FUTUR ANTÉRIEUR
je verrai	j'aurai vu
tu verras	tu auras vu
il verra	il aura vu
nous verrons	nous aurons vu
vous verrez	vous aurez vu
ils verront	ils auront vu

CONDITIONNEL

PRÉSENT	PASSÉ
je verrais	j'aurais vu
tu verrais	tu aurais vu
il verrait	il aurait vu
nous verrions	nous aurions vu
vous verriez	vous auriez vu
ils verraient	ils auraient vu

SUBJONCTIF

PRÉSENT
que je voie
que tu voies
qu'il voie
que nous voyions
que vous voyiez
qu'ils voient

IMPÉRATIF

PRÉSENT
vois
voyons
voyez

INFINITIF

PRÉSENT	PASSÉ
voir	avoir vu

PARTICIPE

PRÉSENT	PASSÉ
voyant	vu(es)

DEVOIR (3ᴱ GROUPE)

INDICATIF

PRÉSENT	PASSÉ COMPOSÉ
je dois	j'ai dû
tu dois	tu as dû
il doit	il a dû
nous devons	nous avons dû
vous devez	vous avez dû
ils doivent	ils ont dû

IMPARFAIT	PLUS-QUE-PARFAIT
je devais	j'avais dû
tu devais	tu avais dû
il devait	il avait dû
nous devions	nous avions dû
vous deviez	vous aviez dû
ils devaient	ils avaient dû

PASSÉ SIMPLE	PASSÉ ANTÉRIEUR
je dus	j'eus dû
tu dus	tu eus dû
il dut	il eut dû
nous dûmes	nous eûmes dû
vous dûtes	vous eûtes dû
ils durent	ils eurent dû

FUTUR SIMPLE	FUTUR ANTÉRIEUR
je devrai	j'aurai dû
tu devras	tu auras dû
il devra	il aura dû
nous devrons	nous aurons dû
vous devrez	vous aurez dû
ils devront	ils auront dû

CONDITIONNEL

PRÉSENT	PASSÉ
je devrais	j'aurais dû
tu devrais	tu aurais dû
il devrait	il aurait dû
nous devrions	nous aurions dû
vous devriez	vous auriez dû
ils devraient	ils auraient dû

SUBJONCTIF

PRÉSENT
que je doive
que tu doives
qu'il doive
que nous devions
que vous deviez
qu'ils doivent

IMPÉRATIF

PRÉSENT
dois
devons
devez

INFINITIF

PRÉSENT	PASSÉ
devoir	ayant dû

PARTICIPE

PRÉSENT	PASSÉ
devant	dû, du(es)

VOULOIR (3ᴱ GROUPE)

INDICATIF

PRÉSENT	PASSÉ COMPOSÉ
je veux	j'ai voulu
tu veux	tu as voulu
il veut	il a voulu
nous voulons	nous avons voulu
vous voulez	vous avez voulu
ils veulent	ils ont voulu

IMPARFAIT	PLUS-QUE-PARFAIT
je voulais	j'avais voulu
tu voulais	tu avais voulu
il voulait	il avait voulu
nous voulions	nous avions voulu
vous vouliez	vous aviez voulu
ils voulaient	ils avaient voulu

PASSÉ SIMPLE	PASSÉ ANTÉRIEUR
je voulus	j'eus voulu
tu voulus	tu eus voulu
il voulut	il eut voulu
nous voulûmes	nous eûmes voulu
vous voulûtes	vous eûtes voulu
ils voulurent	ils eurent voulu

FUTUR SIMPLE	FUTUR ANTÉRIEUR
je voudrai	j'aurai voulu
tu voudras	tu auras voulu
il voudra	il aura voulu
nous voudrons	nous aurons voulu
vous voudrez	vous aurez voulu
ils voudront	ils auront voulu

CONDITIONNEL

PRÉSENT	PASSÉ
je voudrais	j'aurais voulu
tu voudrais	tu aurais voulu
il voudrait	il aurait voulu
nous voudrions	nous aurions voulu
vous voudriez	vous auriez voulu
ils voudraient	ils auraient voulu

SUBJONCTIF

PRÉSENT
que je veuille
que tu veuilles
qu'il veuille
que nous voulions
que vous vouliez
qu'ils veuillent

IMPÉRATIF

PRÉSENT
veux / veuille
voulons
voulez / veuillez

INFINITIF

PRÉSENT	PASSÉ
vouloir	ayant voulu

PARTICIPE

PRÉSENT	PASSÉ
voulant	voulu(es)

Achevé d'imprimer en Italie par L.E.G.O. S.p.A. Lavis (TN) - Dépôt légal : 98939 - 1/09 - Octobre 2019